PLACE ET RÔLE DE LA COMMUNICATION

Dans la même collection

Solidarités renouvelées
Faut-il tuer le messager ?
Sandra Rodriguez
2006, ISBN 2-7605-1409-9, 168 pages

Communication
Horizons de pratiques et de recherche – Volume 2
Sous la direction de Pierre Mongeau et Johanne Saint-Charles
2005, ISBN 2-7605-1434-X, 224 pages

Comment comprendre l'actualité
Communication et mise en scène
Gina Stoiciu
2006, ISBN 2-7605-1376-9, 260 pages

Communication
Horizons de pratiques et de recherche – Volume 1
Sous la direction de Pierre Mongeau et Johanne Saint-Charles
2005, ISBN 2-7605-1326-2, 432 pages

PRESSES DE L'UNIVERSITÉ DU QUÉBEC
Le Delta I, 2875, boulevard Laurier, bureau 450
Québec (Québec) G1V 2M2
Téléphone : (418) 657-4399 • Télécopieur : (418) 657-2096
Courriel : puq@puq.ca • Internet : www.puq.ca

Diffusion / Distribution :

CANADA et autres pays
Distribution de livres Univers s.e.n.c.
845, rue Marie-Victorin, Saint-Nicolas (Québec) G7A 3S8
Téléphone : (418) 831-7474 / 1-800-859-7474 • Télécopieur : (418) 831-4021

FRANCE
AFPU-Diffusion
Sodis

BELGIQUE
Patrimoine SPRL
168, rue du Noyer
1030 Bruxelles
Belgique

SUISSE
Servidis SA
5, rue des Chaudronniers,
CH-1211 Genève 3
Suisse

PLACE ET RÔLE DE LA COMMUNICATION

DANS LE DÉVELOPPEMENT INTERNATIONAL

Sous la direction de
Jean-Paul Lafrance
Anne-Marie Laulan
Carmen Rico de Sotelo

Préface de
Michèle Gendreau-Massaloux

Postface de
Amadou Top

2007

Presses de l'Université du Québec
Le Delta I, 2875, boul. Laurier, bur. 450
Québec (Québec) Canada G1V 2M2

Catalogage avant publication de Bibliothèque et Archives Canada

Vedette principale au titre :

Place et rôle de la communication dans le développement international
(Collection Communication)

Comprend des réf. bibliogr.

ISBN 2-7605-1454-4

1. Développement communautaire. 2. Développement rural.
3. Développement économique. 4. Communication en développement communautaire.
5. Médias – Aspect social. 6. Développement durable. I. Lafrance, Jean-Paul.
II. Thibault-Laulan, Anne-Marie, 1930- . III. Rico, Carmen.

HN49.C6F53 2006 307.1'4 C2006-940981-1

Nous remercions l'Agence universitaire de la francophonie (AUF)
pour sa contribution financière à la publication de cette ouvrage.

Nous reconnaissons l'aide financière du gouvernement du Canada
par l'entremise du Programme d'aide au développement
de l'industrie de l'édition (PADIE) pour nos activités d'édition.

La publication de cet ouvrage a été rendue possible
grâce à l'aide financière de la Société de développement
des entreprises culturelles (SODEC).

Révision linguistique : LE GRAPHE

Mise en pages : PRESSES DE L'UNIVERSTÉ DU QUÉBEC

Couverture : RICHARD HODGSON

Traduction des chapitres de Jesús Martín Barbero
et de Luis Ramiro Beltrán : CARMEN RICO DE SOTELO

1 2 3 4 5 6 7 8 9 PUQ 2007 9 8 7 6 5 4 **3** 2 1

Dépôt légal – 3e trimestre 2006
Bibliothèque et Archives nationales du Québec / Bibliothèque et Archives Canada
Imprimé au Canada

PRÉFACE

Il est d'usage de distinguer les notions de croissance, de développement et de progrès. Le développement, comme s'il pouvait jaillir de l'Histoire, a été accepté comme une évidence morale, une aspiration universelle et une nécessité historique. Il a relayé l'affirmation positiviste de l'inscription du Progrès dans l'avenir de l'humanité.

Cependant, après cinquante années d'espérances, de tentatives avortées, d'échecs – et aussi de succès inattendus –, nous sommes maintenant convaincus que le développement ne sera pas le résultat d'un cheminement tranquille, inexorablement promis à nos contemporains, même les plus déshérités. La mécanique du développement semble grippée. Elle laisse 865 millions d'habitants de notre planète en état de disette ou de famine; 1,4 milliard survivent dans des zones de conflits armés, et presque autant disposent de moins de un dollar par jour.

Les auteurs de cet ouvrage n'analysent pas les stratégies à mettre en œuvre pour favoriser ou imposer le développement. Ils s'interrogent sur sa représentation et sa «communication», éclairant d'un jour nouveau les actions des pays du Nord vers le Sud et les initiatives de ceux du Sud dans la transformation de leur société.

Le premier constat à faire concerne la perception du développement, qui est une idée des zones développées, projetée sur le Sud. Mais cette assimilation est singulièrement tronquée lorsqu'elle parvient au Sud: par exemple, on y imagine volontiers qu'il suffise de résider au Nord pour bénéficier des bienfaits attendus. Le choix du lieu de vie se substitue à l'aménagement créatif. Sous d'autres formes, l'idée du développement perce sous l'acte de consommer et s'y réduit. Or, la mutation indispensable des structures sociales productives nécessaires à la mise en place des biens de consommation est en général mal perçue ou mal acceptée. Si les biens de consommation peuvent, assez facilement, trouver une fonction lorsqu'ils sont transposés dans une autre culture, les mutations organisationnelles, en revanche, focalisent les résistances. Nombre de chercheurs africains ou latino-américains publient de sévères – et lucides – analyses sur les transformations sociales en cours, considérées comme des projets qui «mènent à l'impasse et condamnent certains continents à l'assistance éternelle».

En second lieu, les représentations du développement mettent en évidence la transformation du monde par les technologies de l'information et de la communication. Elles lui donnent d'abord une unité de temps, ou plutôt ce que l'on pourrait appeler une simultanéité, par exemple une capacité à ressentir les mêmes émotions en même temps. Elles prétendent aussi reconfigurer la planète en un seul village, comme l'a rêvé Marshall McLuhan. Ce village unique serait alors caractérisé par trois marques : l'unification, le rétrécissement et l'interdépendance... Mais corrélativement, comme l'a souligné dès 1976 Alain Touraine, de nouvelles fractures apparaissent : on voit naître et s'affirmer les communautarismes, s'élever des plaidoyers de plus en plus véhéments en faveur d'un « altermondialisme » lié à un « nouvel ordre informationnel ». Les débats suscités par la première phase du Sommet mondial sur la société de l'information (Genève 2003), qui conduisent à proposer une autre formulation, celle du « partage des savoirs pour un développement durable », témoignent de ce changement radical de perspective.

Dans beaucoup de régions du monde – Inde, Brésil, Afrique, en particulier – l'appropriation des technologies selon des prescriptions peu conformes au schéma occidental brise le mythe d'un monde uniformisé et fait rejaillir la diversité culturelle là où on l'attendait le moins.

La réappropriation diversifiée d'objets conçus dans une autre culture n'est pas une nouveauté, mais elle s'inscrit dans le contexte politique contemporain avec une force inédite. Au-delà d'une réaction de résistance, elle apporte la preuve de capacités d'innovation pour des usages inattendus, sous l'effet d'une adaptation suscitée par des contextes économiques et relationnels foncièrement différents. Le développement endogène émerge ainsi grâce aux technologies, mais sous une forme hybride et comme métissée, en rupture avec la représentation d'un modèle économique de développement conçu au Nord, imposé aux pays du Sud par des institutions internationales qui sont ressenties comme une forme contemporaine de colonialisme.

La Francophonie, justement perçue dans ce cadre comme un exemple de « non alignement moderne », propose une alternative à cette uniformisation. En transformant les résistances à la mondialisation en moteur d'une autre mondialisation, elle confirme les espoirs qu'elle a fait naître en s'engageant dans le combat pour la Convention de l'Unesco sur la protection et la promotion de la diversité des expressions culturelles, comme elle l'avait fait en forgeant la notion d'*exception culturelle*, en 1994, au moment où le GATT suscitait une liste d'exemptions à la libre circulation des biens et marchandises incluant la culture.

Enfin, si le mythe du développement a produit bien des leurres et des mirages, la confrontation du rêve avec les problèmes concrets des sociétés avancées a de son côté suscité une réflexion salutaire. Pour tous ceux qui ressentent la capacité de leur culture à engendrer un renouveau fidèle à ses valeurs fondamentales, en même temps qu'ouvert à la modernité, un monde meilleur est possible, même s'il n'est plus le meilleur des mondes.

Chacun peut alors dessiner un autre avenir, concrètement accessible et en accord avec ses propres affinités culturelles, compatible en tout cas avec les changements qu'il entend apporter à sa manière de vivre. Loin d'un développement modélisé, univoque, c'est une simple amorce qui puise dans le quotidien des signes d'avenir et porte l'espoir de développements diversifiés. À partir d'expériences limitées, assumées par un groupe qui y trouve sa cohésion, les pays du Sud seront capables de tracer des chemins nouveaux. L'inventaire de ces représentations convoque évidemment les voyages virtuels et les itinéraires comparatifs de tous les « Sud ». Et les ouvertures de ces champs du possible sont autant de questionnements sur le devenir de notre planète.

Michèle Gendreau-Massaloux
Recteur de l'Agence universitaire de la Francophonie

TABLE DES MATIÈRES

QU'EST-CE QUE LE DÉVELOPPEMENT ?

Le paradigme du développement s'est appuyé assez largement sur trois postulats : la vocation de toute société à un devenir de nation industrielle, une représentation des sociétés les plus avancées à être la préfiguration de l'avenir et, enfin, la conviction que ce « rattrapage » serait rapide s'il devenait volontariste.

Puisque la référence néo-keynésienne fixait une relation stricte entre investissement et croissance, les questions à débattre se restreignaient à la détermination du taux de croissance sous contrainte démographique, à la mobilisation d'une épargne adéquate aux investissements liés à cette croissance et, enfin, aux arbitrages dans la composition de ces investissements. Les résultats devaient être mécaniques, une fois protégés de l'échange international analysé en termes de dégradation et des investisseurs étrangers perçus comme des menaces sur l'indépendance économique.

Certes, des voix s'élevaient pour dire que le développement réduit à une liaison mécanique de multiplicateurs d'investissement était quelque peu réducteur (Jacques Austruy) ou que le sous-développement pouvait, par une transposition de l'analyse sociale marxiste à l'international, être le résultat d'une dépendance et non celui d'un retard (Samir Amin). Mais l'État imposait sa vision et ses objectifs aux populations, paré d'une légitimité nouvelle acquise par l'indépendance.

Les collections d'ambitions déçues, de projets en panne et de pratiques corrosives cumulées en trois décennies d'expérimentations hasardeuses laissaient ce modèle essoufflé. Mais l'apparition concomitante des nouvelles technologies de l'information et de la communication et l'effondrement des coûts de transport maritime provoquèrent un abandon des convictions établies, tant sur les vertus mobilisatrices de l'État que sur les dangers de l'échange international. À l'action volontariste se substituait la rationalité des marchés. Les injonctions de la puissance publique faisaient place aux indications des prix pour orienter le comportement des agents : une rationalité dépourvue de choix partisans. L'action se déployait en termes de privatisation, de dérégulation, de libéralisation. L'échange international, porté par les innovations technologiques de transport et de communication, devenait un atout essentiel.

Cette nouvelle construction idéologique, fondement de la mondialisation, trouvait néanmoins quelques contradicteurs. Les uns faisaient remarquer que, si les prix donnaient bien des indications pertinentes aux agents économiques, le marché réel ne fonctionnait pas comme l'indiquait la théorie. Mais alors, si les marchés étaient imparfaits, les signes envoyés aux agents n'étaient plus aussi pertinents qu'on l'avait assuré. D'autres apportèrent une contestation plus radicale, en refusant que la logique de la marchandisation envahisse tout l'espace social pour proposer une projection altermondialiste.

Mais la mondialisation agissait comme un fait, et cette référence omniprésente au marché faisait disparaître les spécificités des enjeux du développement. Elle semblait devoir briser les identités et modeler toute société dans un consumérisme exacerbé et standardisé. Toutefois, l'écart entre la médiatisation des aspirations et la réalité d'un vécu nourrissait une frustration de plus en plus insupportable. Perte de repères, échecs dans les attentes, les promesses ne débouchaient pour des centaines de millions d'individus que sur la déstructuration sociale, l'appauvrissement économique et le dépouillement culturel. Or, il devenait de plus en plus évident que non seulement le développement projeté serait peu *probable* pour de larges couches de la population mondiale, mais il n'était pas *réalisable*, considérant les exigences en ressources énergétiques et en matières premières que ce modèle impliquait. Il était même peu *souhaitable* si l'on s'en tenait aux répercussions désastreuses sur l'environnement que ne manquerait pas d'avoir ce modèle généralisé. La perspective du développement devenait, pour une large part de la population, une croyance inaccessible ; les réalités du dénuement, de l'insécurité et d'un environnement dégradé composaient un quotidien auquel le marché n'apportait pas de réponses suffisantes.

Est-il raisonnable de conserver comme postulat convenu des objectifs de développement que l'on sait parfaitement inaccessibles et hors de portée, s'interroge alors Anne-Marie Laulan ? Ne s'agit-il pas, au fond, d'une course poursuite infernale où les pays à la traîne n'ont aucune chance de rattraper ceux du peloton de tête ? Mais alors, si l'on doit renoncer à la croissance économique, à quoi faut-il aspirer ? À la stagnation ? À la régression ?

Mais si l'accroissement de la pauvreté, la dégradation de l'environnement, la mise en cause des politiques publiques appellent un développement dont les concepts doivent être repensés, les modes de communication pour les élaborer, puis les rendre opérationnels, doivent eux aussi être soumis à renouvellement. La communication sur le développement fait aujourd'hui problème ; le « développement », conçu et mis en pratique depuis près de cinquante ans, apparaît désormais comme un dérisoire numéro d'illusionniste, estime Anne-Marie Laulan.

Au tournant du XXe siècle, l'État providence s'était défini comme le garant et l'architecte du progrès social. La zone d'influence de la société civile repose maintenant sur sa capacité à répercuter sur la place publique des problèmes existants, expliquent Jean-Paul Lafrance et Sahbi Ben Nablia. Et l'ouvrage explore les initiatives exprimant cette émergence. Celle-ci révèle une autre appropriation des outils modernes de communication et d'information et leur redonne du sens dans un cadre social différent et d'autres perspectives. Cette quête coordonnée par Jean-Paul Lafrance, Anne-Marie Laulan et Carmen Rico se développe dans deux dimensions : l'une est thématique, l'autre est géographique. Mais ces expérimentations d'un développement aux valeurs sociales plus assurées, mieux intégrées se déclinent sur une double partition : celle du développement, celle de la communication. Si la logique du développement et la cohérence de ses ambitions se déplacent, il en va de même de la communication. À une communication de masse tente de se substituer une **communication participative**, à une communication verticale diffusée du haut vers le bas s'ajoutent des expériences de diffusion par capillarité horizontale, à une propagation de messages et de mots d'ordre succède une appropriation de l'information vecteur du changement de comportements. La lecture des expériences et des analyses contées dans cet ouvrage nous invite à pénétrer dans le laboratoire social de la planète. Loin des tumultes médiatiques, un monde foisonnant est en gestation.

L'inventivité thématique est illustrée par plusieurs expérimentations sociales qui s'imposent par leur cohérence : dans les domaines de la santé avec Lise Renaud et Carmen Rico, de la médecine avec J. Armando Barriguete, de la gouvernance avec Santiago Castro, des ONG avec Sandra Rodriguez, tandis qu'Anne-Marie Laulan explore les liaisons entre communications et environnement et Alain Kiyindou celles des médias et du développement.

La diversité régionale s'exprime par une exploration des nouveaux modèles de développement et de communication. En Asie, ils sont débusqués par Jiang Wang, alors que Luis Ramiro Beltrán s'intéresse aux expériences latino-américaines par le biais de l'éducation populaire bolivienne et qu'Osée Kamga nous transporte en Afrique à partir d'appropriations inattendues de la téléphonie en Côte d'Ivoire.

Puisque le modèle médiatisé du développement est intransposable à l'ensemble des populations, au lieu de sonder les frustrations lourdes de révoltes, les auteurs nous convient à explorer d'autres espérances à partir des initiatives de la société civile pour esquisser de nouvelles cohérences. Cela déplace les repères identitaires, mais les refonde sur d'autres bases, expose Jesús-Martín Barbero. Cela appelle la généralisation d'autres modes de communication pour répondre à ces approches novatrices du développement, énonce Anne-Marie Laulan. Alors, Jean-Paul Lafrance, Christian Agbobli et Sahbi Ben Nablia voient dans la société civile globale, le mécanisme d'autorégulation du pouvoir que n'ont su gérer jusqu'à présent ni l'État providence, ni les vertus du marché pour répondre aux aspirations qu'ils avaient fait naître.

Claude Albagli
Président de l'Institut CEDIMES

INTRODUCTION

La force du discours sur le développement tient à la séduction qu'il exerce...

Le cas du développement a valeur d'exemple. Les représentations qui lui sont associées et les pratiques qu'il entraîne varient d'un extrême à l'autre, selon que l'on adopte le point de vue du « développeur », engagé à faire parvenir le bonheur qu'il espère, ou celui du « développé », contraint à modifier ses relations sociales et son rapport à la nature pour entrer dans le nouveau monde qu'on lui promet[1].

1. Gilbert Rist, *Le développement : histoire d'une croyance occidentale*, Paris, Presses de Sciences Po, 1996, introduction.

Il faut reprendre la lecture décapante que Gilbert Rist fait du concept de développement pour comprendre à quel point ce terme est entouré d'une aura de positivité, sinon de principes moraux et de générosité toute chrétienne... Qui est contre le fait d'aider son prochain à se sortir de la pauvreté, à partager sa brillante civilisation, à le rejoindre dans le paradis que lui promet sa divinité ? À l'origine du vaste mouvement qui se réclame du développement se trouve une croyance occidentale qui affirme que le bonheur de tous peut être assuré par les progrès de la technologie et par la croissance illimitée de la production des biens et services, dont chacun finira par profiter.

Le développement se présente comme un élément de cette religion nouvelle, héritée de l'époque des lumières, le progrès social. Religion tout occidentale, qui érige en dogme l'évolutionnisme social ! Certains peuvent le voir comme l'invention d'une doctrine d'intervention des peuples riches et forts sur les pays dominés ; d'autres, plus cyniques encore, considèrent maintenant le développement comme l'extension planétaire du système de marché. En effet, le développement moderne a remplacé la colonisation qui a permis aux peuples conquérants d'agrandir leur sphère d'influence. Depuis le XVe siècle, à la suite des progrès de la navigation, les Portugais, les Espagnols et plus tard les Français et les Anglais se sont lancés à la conquête du monde, sous prétexte de faire partager à tous les bienfaits de la civilisation judéo-chrétienne et de répandre la parole de Dieu ; le missionnaire accompagnait toujours l'intrépide marin, mais le marchand et l'exploitant suivaient de très près... La Deuxième Guerre mondiale a sonné la fin de la colonisation, d'abord allemande et japonaise, puis anglaise et française. Un nouveau monde était né, sous la tutelle des deux puissances victorieuses, les États-Unis et l'URSS, qui ont développé deux modèles différents de domination : l'intégration pure et simple dans le cas du bloc soviétique, l'extension du marché à l'échelle internationale dans le cas des Américains. Nous ne parlerons pas de l'aventure russe, qui s'est terminée brusquement à la chute du mur de Berlin.

Peut-on dire, dans cette perspective, que la pratique du développement international est une invention américaine ? À la suite du plan Marshall, les États-Unis comprirent que la meilleure façon de sortir de l'enfer des guerres mondiales étaient de permettre aux pays limitrophes de se développer ; ils firent en sorte que l'économie des pays vaincus, l'Allemagne et le Japon, pût redémarrer sur de nouvelles bases. Grâce à leur supériorité technologique et à la vigueur de leur marché interne, ils permirent que se développât sur une grande échelle l'aide au développement. Cette politique de financement extérieur et de transfert technologique eut ses théoriciens, sortis des meilleures universités américaines ;

les Lerner, les Schramm et les Rogers donnèrent des modèles qui firent autorité pendant cinquante ans. Mais l'invention du développement posa comme réalité contraire le «sous-développement», dont on jugea qu'il caractérisait la majorité des pays qui n'avaient pas suivi la même évolution. Comme le signale le Sud-Américain Jésus-Martín Barbero (dans son article de la troisième partie), pourquoi diable la grande majorité des nations latino-américaines furent-elles désignées comme pays sous-développés, ou «en voie de développement», indépendamment du degré de leur richesse nationale, de leur évolution culturelle, de leur histoire?

Le pouvoir de nommer les choses, comme dirait Michel Foucault, instaure le pouvoir de ceux qui ont la parole... L'idéologie du développement du président américain Harry Truman a mis aux oubliettes la colonisation des nations européennes, l'esprit missionnaire a été remplacé par la confiance en l'évolutionnisme social et en la force civilisatrice de la technologie, la puissance de diffusion des médias de masse s'est substituée à la force de contagion du culte religieux.

Tout en profitant d'un apport en capitaux étrangers, les pays du tiers-monde ont résisté au bulldozer occidental, en se définissant, autour des années 1970, comme des pays non alignés. En Amérique latine, chez les nations arabes ou africaines, les théoriciens ont avancé **l'hypothèse de la dépendance** comme explication fondamentale de l'inégalité des peuples. Plusieurs expériences d'autodéveloppement *(self-reliance)* prirent naissance en Afrique; les Latinos-Américains parlèrent, pour leur part, d'une «décennie de feu» (voir l'article de Luis Ramiro Beltrán), et s'attaquèrent au caractère centralisateur et unidirectionnel des médias de diffusion qui imposent leur modèle, somme toute autoritaire, du haut vers le bas.

Malheureusement, les grands espoirs de changement suscités par le rapport MacBride (rapport de l'Unesco sur les problèmes de communication) disparurent à cause du choc pétrolier qui mit à mal les économies fragiles de plusieurs pays en voie de développement. La solidarité entre les pays non alignés s'effrita petit à petit; les pétromonarchies du Golfe prirent leur envol, dopées par l'afflux de cette nouvelle richesse; plusieurs nations, surtout de l'Asie et du Pacifique, accédèrent au statut de pays émergents. Pour l'Amérique latine, Beltrán parle des années 1980 comme de «la terrible décennie manquée»; niveau d'endettement record qu'il faudra s'atteler à combler, au détriment des investissements dans les services publics et le bien-être social, néolibéralisme et retour des régimes autoritaires et inégalitaires (pensons au Chili, à l'Argentine, à l'instauration de régimes tyranniques en Afrique, aux contre-révolutions militaires, etc.), rejet des recommandations du rapport MacBride par les grandes puissances (États-Unis et URSS), crises dans les grands organismes multilatéraux, comme l'Unesco.

Dans les années 1990, la situation commença heureusement à changer. Dans la foulée du rapport Brundtland (1988) sur le développement durable et l'environnement humain, est née une façon entièrement nouvelle de considérer le développement comme un tout – et non pas simplement comme un processus économique; de plus, tout développement doit être endogène, c'est-à-dire surgir au sein même de chaque société. Une véritable révolution copernicienne fut nécessaire pour en définir les objectifs du développement. De nouveaux thèmes sont apparus dans la perspective du développement durable: l'environnement, la bonne gouvernance, la santé et la prévention des épidémies, l'égalité des genres, que nous aborderons dans la deuxième partie:

- La santé, par Lise Renaud et Carmen Rico de Sotelo, de Montréal
- L'environnement, par Anne-Marie Laulan, de Paris
- La bonne gouvernance, par Santiago Castro, de Mexico
- Les nouveaux médias, par Alain Kiyindou, de Strasbourg
- Et une participation d'Armando Barriguete sur une expérience pilote de télémédecine au Mexique.

Comme nous le disions plus haut, il n'existe pas de formule universelle de développement. Le développement ne doit se faire par l'imitation pure et simple du modèle des pays développés, mais naître de la culture de chaque société. Voilà pourquoi nous avons cru bon de présenter plusieurs voies d'application de ce nouveau développement sur trois continents différents:

- Le refus du développement de type occidental en Asie-Pacifique, par Jiang Wang
- Le développement à la manière sud-américaine, par Luis Ramiro Beltrán
- Le développement en Afrique, par Osée Nana Kamga

Enfin, en dernière partie, nous avons voulu proposer les réflexions que nous inspire le nouveau développement. D'une part, dans le processus de mondialisation on ne peut s'employer à neutraliser les cultures en vue de développer un marché de biens et services à l'échelle planétaire; cette nouvelle mondialisation ne peut qu'engendrer une déculturation qui présage une perte de valeurs humaines, l'oubli des racines sur lesquelles repose toute nation et, enfin, le retour au fondamentalisme ou à la violence. D'où la nécessité de préserver les productions culturelles de l'effet aseptisant d'un marché transnational. D'autre part, il est nécessaire de revoir entièrement le paradigme de la communication, de passer du diffusionnisme à la communication inclusive, à la communication participative, sans laquelle le développement sera toujours artificiel et éphémère. Les technologies de l'information et de la communication (TIC), comme on a pu en relever de multiples exemples au Sommet mondial sur la société de l'information (SMSI), permettent d'imaginer des façons de favoriser l'échange de solutions pratiques, de rendre possible la concertation des forces progressistes et de définir une action collective. SMSI, on a vu, pour la première fois peut-être, cette société civile agir pour définir une approche alternative au désœuvrement. Nous terminerons ce livre par trois articles qui ouvrent des perspectives pour l'avenir :

- De la nécessité de passer par la culture dans le nouveau développement, par Jésus-Martín Barbero
- À nouveaux concepts, autres modes de communication, par Anne-Marie Laulan
- La société civile globale comme un mécanisme d'autorégulation du pouvoir au SMSI, par Jean-Paul Lafrance, Sabi Ben Nablia et Christian Agbobli

PARTIE

I

THÉORIE

CHAPITRE

1

CINQUANTE ANS D'HISTOIRE DU DÉVELOPPEMENT INTERNATIONAL SELON TROIS GRANDS PARADIGMES DE COMMUNICATION

Jean-Paul Lafrance[1]

1. Jean-Paul Lafrance est professeur au Département des communications de l'Université du Québec à Montréal et titulaire de la Chaire Unesco-Bell (Lafrance.jean-paul@uqam.ca).

Les individus, les groupes, les pays et les nations se sont toujours développés naturellement, d'une façon continue, par bonds en avant ou en arrière, selon les circonstances et les opportunités, en fonction de la pression extérieure (les invasions, par exemple) ou intérieure (la surpopulation, la pénurie des ressources naturelles, etc.). Ce n'est qu'au XXe siècle que les États ont cru pouvoir diriger le développement d'une façon significative, en se donnant des objectifs précis en fonction des chiffres de la comptabilité nationale (augmentation du PIB ou de la richesse des familles, développement du commerce extérieur, accroissement de la durée de vie et diminution de la mortalité infantile, croissance du taux d'alphabétisation, etc.).

Et c'est aussi à ce moment que certains pays (dits riches) ont voulu « aider au développement » d'autres pays plus pauvres ; par compassion, par charité chrétienne, par grandeur d'âme ? On peut en douter ! L'instinct de puissance, le désir de conquête et l'appétit de richesse ont toujours été plus forts que la pitié, du moins chez les nations… Cependant, les grandes guerres de la fin du XIXe siècle et de la première moitié du XXe siècle avaient laissé les populations dans un tel état de désolation (pensons à l'Europe après la Deuxième Guerre mondiale, au Japon) que l'on a eu peur de créer des déséquilibres profonds dans l'état du Monde. On a compris que les guerres engendraient les guerres, que la richesse crée la richesse, qu'un état de pauvreté extrême génère la violence, le terrorisme et les flux migratoires vers les pays riches. C'est ainsi qu'après 1945 les pays vainqueurs abordèrent, dans les grandes conférences internationales, « la question du développement ».

Qui dit développement dit sous-développement, par ailleurs. Les États-Unis, grands vainqueurs de la Deuxième Guerre mondiale, sont les premiers à établir une problématique d'aide au développement et à dégager dans leur comptabilité nationale des budgets conséquents. De nos jours, on établit le pourcentage acceptable de l'aide à 0,7 % du PIB, un pourcentage que la grande majorité des pays n'arrive pas à atteindre. En conséquence, depuis cinquante ans, des masses considérables d'argent sont disponibles pour permettre aux pays pauvres de « rattraper » les pays riches, avec des résultats très inégaux. Pourquoi plusieurs initiatives ont-elles échoué ou (soyons positifs !) pourquoi certaines autres ont-elles réussi ?

1.1. NÉCESSITÉ D'UNE ANALYSE CRITIQUE DES MODÈLES DE COMMUNICATION POUR LE DÉVELOPPEMENT

Il est temps de confronter les modèles de communication, au regard des différents paradigmes du développement, question de savoir en quoi les problématiques liées à la communication peuvent transformer les objectifs du développement. Comment les outils et les dispositifs communicationnels construisent-ils le développement ? Quel est le rôle de la socialisation des outils et des dispositifs ? Comment composer avec la coupure entre les médias de diffusion et les médias de transformation sociale dans la construction et la gestion du développement ? Comment se déroule l'activité de production et de transmission du savoir, de même que la transformation du changement des attitudes dans le champ du développement ? Enfin, comment sortir d'une vision du développement considéré comme étant une simple opération de diffusion ou d'adaptation de techniques ou d'outils ? Comment mesurer le progrès du développement autrement qu'en ayant recours aux seules méthodes d'analyse diffusionniste des résultats ?

En fait, il faut dire d'emblée que la **communication pour le développement** se situe au carrefour de deux champs de recherche et d'intervention dont les termes sont loin d'être monosémiques.

- **Le développement** – De quelle théorie du développement parlons-nous ? En effet, il faut bien avouer qu'en soixante ans de « développement » (de 1945 à 2005) nous avons connu plusieurs courants, plusieurs idéologies : on a parlé du paradigme de la modernisation, de la dépendance, de l'autosuffisance (*self-reliance*), de l'autodéveloppement assisté, du développement durable, etc.
- **La communication** – À quoi faisons-nous référence : à la communication de masse ou à la communication participative, à la communication verticale ou à la communication horizontale, à la diffusion d'informations ou au changement de comportements ? Depuis 1945, depuis Katz et Lazarsfeld, on ne peut nier que les SIC (sciences de l'information et de la communication) et les TIC (technologies de l'information et de la communication) ont également évolué, puisque sont nées une multitude de philosophies et de techniques de communication : communication participative, animation et mobilisation sociale, éducation citoyenne et changement d'attitude, *empowerment*, plaidoyer médiatique, etc. Grâce à l'évolution de la technologie, on a mis au point aussi les médias locaux et indépendants, la communication citoyenne par Internet, les médias pédagogiques, etc.

Il apparaît nécessaire de faire l'histoire de l'évolution de la notion de développement pour montrer que, s'il y a tant d'échecs, ce n'est pas attribuable seulement « à une mauvaise communication » entre les acteurs (pays développés ou pays sous-développés, agents de changement et populations visées, organismes multilatéraux ou pays donateurs), mais aussi au fait que chaque paradigme de développement comporte son modèle de communication. Voilà du moins notre hypothèse principale. Notre tâche sera donc :

1. de définir les principaux paradigmes de développement ;
2. d'en indiquer les présupposés philosophiques ;
3. de tenter de les expliquer en fonction de la situation géopolitique ;
4. d'indiquer les grands événements internationaux où sont élaborées les lignes d'action ;
5. de décrire, enfin, les modèles communicationnels qui supportent cette volonté d'agir.

1.2. PREMIÈRE TENDANCE : LA MODERNISATION DES SOCIÉTÉS ET LA DIFFUSION DES TECHNIQUES ET DES INFORMATIONS

Le paradigme développementiste a dominé les théories du développement jusqu'au début des années 1970. Le développement se définit alors comme un processus de rattrapage où les pays du Sud doivent se moderniser en prenant les pays du Nord comme modèles ; il consiste en un accroissement de la productivité des pays du Sud qui, à cette fin, doivent adopter les connaissances et les technologies du Nord. Walt Rostow considérait que la société traditionnelle était le degré zéro de l'histoire[2] et il décrivait l'industrialisation comme un processus unilinéaire et irréversible qui ne peut suivre qu'un seul chemin dans leur processus d'industrialisation : celui tracé par les pays du Nord, dont l'exemple est le Royaume-Uni, au XIXe siècle, suivi par la France, les États-Unis, l'Allemagne, les autres pays de l'Europe et plus tard le Japon... Rostow parlait de l'industrialisation comme d'un processus de « décollage » (*take off*) se déroulant en cinq phases. Ce modèle est tellement prégnant de nos jours que l'on parle encore de postmodernisation et plusieurs n'hésitent

2. Walt W. Rostow, *Stages of Economic Growth,* Cambridge, Cambridge University Press, 1960.

pas à prétendre qu'il n'existe pas de frein à la croissance, que celle-ci ne peut être qu'illimitée! Qu'y aura-t-il après la postmodernisation, puisque le postmoderne n'est déjà plus à la mode?

1.2.1. Histoire d'une croyance occidentale

Gilbert Rist (1996) considère le «développement» comme une utopie et comme un élément de la religion moderne du progrès des civilisations. Sans remonter jusqu'à la notion aristotélicienne de «la nature des choses» – que l'on peut assimiler au développement – ou à la théologie augustinienne de l'histoire du salut, on constate que Descartes, au XVIIe siècle, établit la prééminence de la raison et la nécessité du progrès de la connaissance; au siècle suivant, pendant la période des Lumières, personne ne doute du principe de la croissance quasi infinie des civilisations. Mis à part le pessimisme de Rousseau, qui croit que c'est la société qui corrompt l'homme naturellement bon, l'idéologie du progrès triomphe partout dans la philosophie allemande, de Kant à Hegel et à Marx, bien que l'on ne s'entende pas sur la nature du mal. «Ainsi au cœur du dispositif occidental, se trouve l'idée qu'il existe une histoire naturelle de l'humanité, c'est-à-dire que le développement des sociétés, des connaissances et de la richesse correspond à un principe *naturel*, autodynamique, qui fonde la possibilité d'un grand récit[3]. » L'évolutionnisme social s'appuie sur la croyance en la croissance exponentielle de la richesse des nations, grâce à l'industrialisation et résultat du développement scientifique et de la mise au point des techniques modernes. Cette théorie de l'histoire humaine, bien loin de la pensée orientale par exemple, est probablement la conséquence d'une laïcisation de la religion chrétienne.

1.2.2. Naissance politique du paradigme

À la fin de la Deuxième Guerre mondiale, la politique extérieure des États-Unis est en pleine redéfinition. Devenus une superpuissance, les États-Unis sont convaincus qu'ils ont un grand rôle à jouer dans le monde. Les pays européens, à l'opposé, ont beaucoup souffert de la guerre et peinent à sortir du colonialisme. Le 20 janvier 1949, le président Truman, dans son discours traditionnel sur l'état de l'Union, sort de son chapeau, «à la façon d'un magicien», une formule qui deviendra la charte du développement: «Il nous faut lancer un nouveau programme qui soit audacieux et qui mette les avantages de notre avance

3. Gilbert Rist, *Le développement: histoire d'une croyance occidentale*, Paris, Presses des Sciences Po, 1996, p. 69.

scientifique et de notre pensée industrielle au service de l'amélioration et de la croissance des régions sous-développées. Plus de la moitié des gens de ce monde vivent dans des conditions voisines de la misère... Les États-Unis occupent parmi les nations une place prépondérante quant au développement des techniques industrielles et scientifiques. » L'opposition entre pays développés et pays sous-développés, inventée de toutes pièces, remplacera la division ancienne entre pays colonisateurs et pays colonisés. Dès le 16 novembre 1949, l'Assemblée générale des Nations Unies approuve la création du programme élargi d'assistance technique, et plus tard le transfert de capitaux du Nord vers le Sud par l'intermédiaire de la Banque mondiale.

1.2.3. Les propagandistes du modèle communicationnel

Aux États-Unis, le trio composé de Lerner, Schramm et Rogers apparaît comme le fer de lance de l'appareil idéologique mis en place pour encadrer le développement ; Lerner en est le théoricien[4], Schramm, le commis-voyageur,[5] et Rogers, le missionnaire et le méthodologue[6].

Dans la droite ligne de leur théorie, les techniques et les méthodes communicationnelles employées en développement sont **diffusionnistes** et elles visent à faciliter le transfert de technologies du Nord vers le Sud. Quoi qu'on en dise, elles ont toujours cours à l'heure actuelle quand il s'agit d'analyser les résultats du développement. C'est ce que l'on appelle « les indicateurs de développement », indicateurs qui ne manquent pas de méthodologues patentés pour s'en servir afin d'évaluer la richesse des nations basée sur le PIB. Ces derniers veulent d'abord informer les individus pour qu'ils prennent conscience de l'avantage du changement et qu'ils transforment effectivement leurs habitudes de vie.

La démarche préconisée comporte les étapes suivantes :

- la *connaissance* et la *compréhension* du contenu du message ;
- l'*approbation* à la fois du contenu du message et de ce qu'il implique en matière de changement de comportement ;

---

4. Daniel Lerner, *The Passing of Traditional Society*, New York, Free Press, 1958.
5. W. Schramm, *The Science of Human Communication*, Stanford University Press, 1963.
6. Everett Rogers, *Diffusion of innovations*, New York, Free Press, 1983. Voir aussi D. Boullier, «Du bon usage d'une critique du modèle diffusionniste», revue *Réseaux*, Paris, Hermès, 1989, p. 36. Pour être honnête, il faut dire que la thèse originale de Rogers, à travers plusieurs réécritures et plusieurs rééditions (de 1962 à 1995), n'a cessé de s'éloigner du modèle strictement diffusionniste pour aller vers une théorie plus participative.

- l'*intention* d'adopter le comportement souhaité;
- la *mise en pratique* du comportement souhaité;
- la *promotion*, auprès d'autres individus, du nouveau comportement adopté.

Pour Rogers (version 1962): « La communication est un processus par lequel une idée est transférée d'une source à un récepteur avec l'intention de changer son comportement. De façon générale, la source veut altérer la connaissance qu'a le récepteur d'une certaine idée, créer ou changer son attitude envers cette idée, ou le persuader d'adopter cette idée en tant que partie intégrante de son comportement de tous les jours ».

La méthode semble aller de soi, mais elle cache d'importants biais. Ainsi, on ne remet pas en question la pertinence du don qui est offert; on suppose que l'information va nécessairement amener un changement de comportement de la part des individus. On surestime en outre le caractère permanent des changements et l'on sous-estime l'environnement social et culturel qui est la cause, le plus souvent, de l'échec de l'action entreprise.

Le modèle diffusionniste de l'information est un modèle linéaire, qui va du haut vers le bas, axé sur l'individu (et non sur la société) et destiné à changer les mentalités, en faisant confiance à la force des médias de masse ou aux autres techniques de conversion des mentalités. Diffusion plus ciblée, axée sur des publics en particulier, marketing social, IEC (Information-Éducation-Communication), édu-divertissement, voilà autant de techniques de communication de type diffusionniste.

1.3. DEUXIÈME TENDANCE: LA RÉPLIQUE DES PAYS DU SUD OU LE PARADIGME DE LA DÉPENDANCE

Pour les théoriciens[7] du paradigme de la dépendance, les problèmes de sous-développement ne sont pas attribuables à un quelconque retard des peuples aux mentalités dites primitives, mais à des facteurs extérieurs, en particulier à la façon dont les pays du Sud s'insèrent dans le système

7. Les principaux promoteurs de ce paradigme sont Samir Amin (*L'échange inégal et la loi de la valeur*, Paris Anthropos, 1976), André Gunter Frank (*Le développement du sous-développement: l'Amérique latine*, Paris, Maspero, 1970) et Fernando Henrique Cardoso (*Les idées à leur place: le concept de développement en Amérique latine*, Paris, A. Métaillié, 1980).

économique mondial. Les relations inégales entre le Nord et le Sud sur les plans économique, politique et social sont directement montrées du doigt, de même que les relations de domination entre les élites urbaines et leurs populations rurales au sein même des pays du Sud. Si la *périphérie* s'appauvrit, c'est parce que le *centre* s'enrichit à ses dépens. La métropole transforme et consomme les denrées essentielles que produit l'arrière-pays, les pays riches exploitent et utilisent la matière première vendue à rabais par les pays pauvres.

1.3.1. Contexte géopolitique

Ces réflexions donnent bientôt lieu à des débats intenses sur la scène internationale, menés dans un premier temps par le Mouvement des pays non alignés. Du 18 au 24 avril 1955, le président Sukarno réunit à Bandung, en Indonésie, 1500 délégués venus de 29 pays asiatiques et africains ; c'est la naissance de ce que l'on a appelé le tiers-monde. À la table d'honneur, Chou En-lai représente la Chine et Nehru, l'Inde. Ils sont entourés d'une kyrielle de représentants de « petits pays » plus ou moins rattachés à des empires coloniaux (le Liban, le Laos, les Philippines) et d'un bon nombre de délégations de pays qui deviendront indépendants (l'Algérie, la Tunisie, le Maroc, etc.). Sont exclus, les États-Unis, les pays européens, l'Australie, l'URSS. La querelle entre les modernistes et les dépendantistes fit rage pendant toutes les années 1960 et 1970, mais cela n'empêcha pas les expériences de terrain importantes, comme le socialisme Ujamaa du président tanzanien Nyerere qui visait à ce que le pays ne compte que sur ses propres moyens. La déclaration d'Arusha de 1967 fait montre de lucidité à cet égard : l'aide étrangère met l'indépendance du pays en danger. « Même s'il était possible d'obtenir de l'extérieur assez d'argent pour nos besoins, est-ce vraiment ce que nous voulons ? Être indépendant veut dire compter sur soi. » Cette théorie de l'autosuffisance ou de la « *self-reliance*[8] » ne revient pas à refuser le développement, mais plutôt l'**aide** au développement – qui n'est jamais gratuite, mais « toujours attachée », en fonction des intérêts ou du moins de la philosophie politicoéconomique du pays donateur.

Les pays latino-américains ne sont pas représentés à Bandung, car il s'agit d'une conférence Afrique-Asie. Ils auront néanmoins leur paradigme de libération ; on les appellera alors les « *dependencias* ». Du 9 avril au 2 mai 1974, dans la foulée de l'avènement du Mouvement

8. Deux livres fondamentaux, celui de Serge Latouche, *Faut-il refuser le développement ?*, Paris, Presses universitaires de France, 1986, et celui de Jacques Gélinas, *Si le tiers-monde s'autofinançait*, Montréal, Écosociétés, 1994.

des pays non alignés (NOAL), une session extraordinaire de l'Assemblée générale des Nations Unies vote la déclaration concernant l'instauration d'un nouvel ordre économique international (NOEI), assortie d'un programme d'action.

Le paradigme de la dépendance prétend réagir aux inégalités économiques et structurelles qui frappent les pays du Sud, et l'idée d'une démocratisation de la communication à tous les niveaux se fraie un chemin jusque dans l'arène politique internationale. Les tenants du paradigme de la dépendance affirment que la souveraineté politique et économique ne saurait se faire sans que soit brisée la domination **culturelle** qui caractérise les relations Nord-Sud, dans laquelle l'information et la communication jouent un rôle prépondérant. Selon eux, étant donné qu'ils sont actuellement contrôlés par les pays du Nord, non seulement les médias ne peuvent jouer le rôle de vecteur de changement social que lui attribuent les théories de la modernisation, mais ils constituent plutôt un rouage essentiel des stratégies de domination du Sud par le Nord.

1.3.2. La proposition d'un nouvel ordre mondial de l'information et de la communication (NOMIC)

Une commission internationale sur les problèmes de la communication, connue sous le nom de commission MacBride[9], est mandatée par l'Unesco pour enquêter sur la situation et formuler des pistes de solution. En 1980, réunie à Belgrade pour sa XXIe conférence générale, l'Unesco adopte les conclusions du rapport MacBride, intitulé *Voix multiples, un seul monde.*

Dans ses grandes lignes, le nouvel ordre mondial de l'information et de la communication (NOMIC) propose :

- la démocratisation des communications et des ressources de l'information ;
- la création et le renforcement des infrastructures nécessaires pour que les pays du Sud puissent participer aux flux de communication mondiaux dans des conditions d'égalité ;
- une plus grande adéquation entre les systèmes de communication et les aspirations de développement intégral, autonome, autogéré et durable des peuples du tiers-monde ;

9. Du nom de son président, Sean MacBride, ancien ministre des Affaires étrangères de l'Irlande, prix Nobel de la Paix. MacBride a également reçu le prix Lénine pour la Paix, attribué par l'Union soviétique.

– la défense de l'identité culturelle par l'ouverture d'espaces et l'accès à des ressources permettant le développement autonome des expressions culturelles dans toute leur diversité, en particulier celles des classes populaires.

Les déséquilibres dans les flux d'information étant un obstacle au développement, à l'atteinte de la souveraineté économique, politique et culturelle des pays, l'intention est que ceux-ci puissent affirmer leur identité culturelle par l'accès aux moyens d'information.

On favorise la mise en place de médias alternatifs et communautaires, axée sur le développement social et fondée sur l'accès à l'information et aux moyens de communication. On préconise également la création d'agences de presse autres que celles possédées par les grands pays riches, une meilleure formation des journalistes dans le tiers-monde, etc.

1.3.3. L'ANALYSE CRITIQUE DES MÉDIAS

Dans la foulée du rapport MacBride, les communications entrent dans un nouveau cycle d'analyse critique : en proposant le concept d'impérialisme culturel, l'Américain marxiste Herbert Schiller[10] et le Franco-Belge Armand Mattelart[11] montrent bien que le modèle américain devient hégémonique, non seulement dans les contenus qu'il véhicule, mais dans la façon d'organiser (la syntaxe des médias) et dans les zones d'influence qu'il contrôle dans le monde. « Dans *The Media Are American*, publié en 1977, Jeremy Tunstall (sociologue anglais) montre que, à la différence des années 1960, l'influence états-unienne à la fin des années 1970 s'exerce moins à travers le flux d'importation de programmes qu'à travers l'importation, au Nord comme au Sud, d'un mode d'organisation de la télévision et de la production d'émissions fortement dépendant à l'égard des normes en vigueur au pays de l'*entertainment*[12]. » Pour dire simplement, les États-Unis inventent le modèle de la télévision grand public, de type commercial et soutenu par la publicité, axé sur le divertissement, et cette télévision va envahir « le village global »,

10. Herbert I. Schiller, *Mass Communication and the American Empire*, 2e éd., Cambridge, Westview Press,1992.

11. Une brève analyse de ce courant nous est fournie par Tristan Mattelart dans « Internationalisation de l'audiovisuel : état des savoirs », dans *Actes du colloque international 1945-2005 : 60 ans de communication pour le développement*, Université de Douala, 26 au 30 avril 2005. Armand Mattelart, *Multinationales et systèmes de communication : les appareils idéologiques de l'impérialisme*, Paris, Anthropos, 1978.

12. Tristan Mattelart, *op. cit.*, 2005, p. 109.

comme l'avait prédit Marshall McLuhan. On ne sera pas surpris du succès du *soap* américain *Dallas* vendu au quart des pays de la planète, de l'exportation partout – au moins en Occident – de la formule des jeux télévisés, comme *The Price Is Right* ou *La roue de fortune*, et du format de l'entretien télévisuel appelé «talk-show». Grâce à la mise en place des réseaux câblés et des satellites, les Américains ont aussi inventé la télévision thématique (le canal sport, l'information en continu, la télé à la carte, etc.). On aura beau parler de mondialisation du modèle américain, il reste que les autres modèles proposés n'ont pas réussi à se maintenir, comme la télévision éducative, la télévision d'État, même la télévision de service public. Dans les années 1980, les États-Unis ont pesé de tout leur poids sur la production et la distribution des produits culturels, mais dix ans plus tard les Sud-Américains, par exemple, avaient appris à faire des *telenovelas* et à les vendre à tous les hispanophones, tout le monde savait faire des appelé talk-shows «localisés» et des jeux à l'américaine. Est-ce ce que Ulf Hannerz appelle un phénomène de créolisation qui suggère «que les cultures comme les langues peuvent être le produit de mélanges et qu'elles ne sont pas historiquement pures et homogènes[13]»? Mais peut-on parler d'**indigénisation** en ce qui concerne la création d'Al Jazeera, la CNN arabe? Le concept de téléréalité, qui entraîne dans son sillage la télévision actuelle, est le fait d'une entreprise néerlandaise, Endemol, maintenant acquise par Telefonica; la téléréalité est ce que *Dallas* fut il y a vingt ans... Faut-il toujours penser nos analyses sur la mondialisation en termes d'homogénéisation culturelle ou croire en l'existence de nouveaux modèles d'hybridation des cultures à l'ère d'Internet?

1.3.4. Les suites au rapport MacBride

Malheureusement, le rapport MacBride ne sera jamais accepté ni par les États-Unis, ni par l'URSS, trop soucieux de leur autonomie et de leur sphère d'influence. Nous sommes en pleine guerre froide et personne n'a intérêt à céder du terrain à l'autre. La démocratisation de la communication ne sera pas pour demain, mais une impulsion sera donnée pour l'indépendance des médias nationaux; la prolifération des moyens de communication amènera par ailleurs une diversification certaine des sources d'information par la création de médias locaux, alternatifs, libres et spécialisés (par exemple des radios jeunes, féministes, homosexuelles, engagées, etc.), l'usage des satellites de télédiffusion pour la distribution des signaux, l'augmentation de la bande de fréquences par l'implantation des réseaux câblés, la miniaturisation des équipements de diffusion et de production.

13. Cité par Tristan Mattelart, *ibid.*, p.112.

Le rapport MacBride visait l'instauration d'une communication horizontale et bidirectionnelle, mais tous les pays, surtout les plus autoritaires et les plus répressifs, désiraient préserver leur souveraineté sur les communications et sur la diffusion de leurs informations.

Plusieurs considèrent que les années 1970 furent une décennie perdue, malgré les appels répétés à la révolution. Désillusion et désenchantement, voilà le constat de la guerre froide ! Par ailleurs, la crise du pétrole a fait éclater le tiers-monde en deux blocs : les nouveaux pays riches producteurs de pétrole (par exemple les pays du golfe Persique) et les pays les plus démunis de la planète (sans ressources naturelles, comme ceux de l'Afrique sahélienne). La volonté d'autarcie manifestée par certains pays s'est soldée par des affrontements politiques qui ont dégénéré en guerres civiles ; en Amérique latine, ce fut la décennie des dictatures militaires (au Chili, en Argentine, au Pérou, en Bolivie), soutenues par l'Amérique néolibérale de Ronald Reagan.

1.4. TROISIÈME TENDANCE : LE NOUVEAU DÉVELOPPEMENT ET LE DÉVELOPPEMENT DURABLE

L'événement capital qui déclenchera la remise en question de la philosophie du développement a été la tenue du premier Sommet de la Terre en 1992 à Rio de Janeiro. Notons aussi le rapport mondial sur le développement humain du Programme des Nations Unies pour le développement (PNUD), en 1991[14].

Rappelons cependant que, dès 1975, les idées du développement durable étaient contenues dans un rapport publié par la fondation néerlandaise Dag Hammarskjöld, *What Now ? Another Development*[15]. Ce rapport, qui réunissait les points de vue et les expériences d'acteurs du développement aux quatre coins du monde, soutenait notamment que, pour que le développement soit durable, des changements devraient s'opérer à trois niveaux : celui des acteurs, celui des méthodes et celui des objectifs. Ainsi, on parlait désormais de communication *du bas vers le haut*, où les populations à la base et les organisations non gouvernementales (ONG) qui les accompagnent deviendraient les principaux

14. PNUD, *Rapport mondial sur le développement humain*, Paris, Economica, 1991.

15. Rapport Dag Hammarskjöld 1975 sur le développement et la coopération internationale, *Que faire ?*, préparé à l'occasion de la septième session extraordinaire de l'Assemblée générale des Nations Unies (publié dans la revue de la fondation, *Development Dialogue*, en 1975).

acteurs de leur développement. En ce qui a trait aux méthodes, le développement devrait être participatif, endogène, autogéré et solidement ancré dans les connaissances locales. Enfin, il devrait avoir pour objectif principal la satisfaction des besoins de base des populations.

Conséquence, les indicateurs économiques traditionnellement utilisés pour mesurer le degré de développement d'une société, comme la productivité, le PIB et les infrastructures, furent jugés insuffisants. D'autres aspects, tels que l'égalité sociale, la répartition du pouvoir, la distribution des revenus, l'égalité entre les sexes, la liberté et la protection de l'environnement, les droits de la personne furent propulsés à l'avant-scène. En résumé, le développement devait être conçu comme « un processus global et participatif de changement social qui vise le bien-être matériel et social des populations et dont les sociétés elles-mêmes sont responsables[16] ».

Il fallut bien une décennie ou deux pour que le rapport de la fondation Hammarskjöld de 1975 réapparaisse sous les feux de l'actualité. En 1988, le rapport de la Commission mondiale sur le développement et sur l'environnement, dit rapport Brundtland (1988), reprit les termes du rapport précédent et décrivit le développement durable « comme un moyen de s'efforcer de répondre aux besoins du présent, sans compromettre la capacité des générations futures de satisfaire les leurs[17] ».

Plutôt que de préconiser la conscientisation radicale et l'opposition des intérêts des uns aux intérêts des autres, le rapport favorise le dialogue et la négociation en vue de la résolution de conflits, l'atteinte de consensus et l'action concertée. Ainsi, la participation des populations se définit comme une participation décisionnelle ; elle signifie que les populations doivent être associées au processus de développement dès l'étape de définition des problèmes de développement et d'établissement des priorités. Les populations doivent pouvoir participer activement à la recherche de solutions et, surtout, elles doivent être parties prenantes des décisions menant à la conception et à la mise en œuvre des initiatives de développement.

Ainsi, la communication participative pour le développement (CPD)[18] est une démarche planifiée qui s'appuie, d'une part, sur des

---

16. Guy Bessette, «L'évolution des tendances en matière de communication pour le développement», dans *La communication pour le développement en Afrique de l'Ouest: vers un agenda d'intervention et de recherche*, Ottawa, CRDI, 1996.
17. *Notre avenir à tous*, Montréal, Éditions du Fleuve, 1988.
18. Voir la définition du nouveau développement du CRDI (Centre de recherches pour le développement international) et de l'Agence canadienne de développement

processus participatifs et, d'autre part, sur des médias traditionnels ou modernes, ainsi que sur des processus d'animation, de dialogue et de médiation (conscientisation, mobilisation, plaidoyer, *empowerment*) afin de contribuer à la résolution de problèmes de développement.

Dans les années 1990, le Canada (par l'entremise de l'ACDI, l'Agence canadienne de développement international) développera un concept intéressant qui remettra en question son approche d'intervention sur le terrain : le renforcement des capacités. Les secteurs qui semblent s'en être le plus inspirés sont ceux : des relations internationales, par l'entremise de divers processus des Nations Unies ; du développement international, pour améliorer la condition des peuples du monde ; et du développement économique communautaire, pour aider les collectivités à soutenir leur croissance économique et à prendre en charge la santé de leurs populations.

On peut donner comme définition du renforcement des capacités celle-ci :

> Le renforcement des capacités est le processus par lequel des groupes, des organismes, des établissements et des sociétés améliorent leur aptitude à remplir leurs fonctions fondamentales, à résoudre des problèmes, à cerner et à atteindre des objectifs, ainsi qu'à comprendre et à assumer leurs besoins en matière de croissance dans un contexte élargi et de façon durable. L'expression fait référence à l'investissement dans les personnes, les établissements et les pratiques qui, ensemble, permettent à des régions de réaliser leurs objectifs de croissance[19].

Entre la simple fourniture d'information et la modification du comportement des gens ou des organisations, il y a toute une progression qui permet de passer d'un niveau relativement élémentaire de renforcement des capacités à quelque chose de beaucoup plus complexe. Plus cette étape est complexe, plus il faudra du temps pour la mener à bien et plus elle sera difficile à accomplir. C'est pourquoi il est si important de bien réfléchir à ce qu'on entend par renforcement des

---

international (ACDI) : « Un processus global et participatif de changement social qui vise le bien-être matériel et social des populations et dont les sociétés elles-mêmes sont responsables », dans Guy Bessette, *op. cit.*, 1996.

19. La définition est de Sarwat Salem, du CRDI. Voir le site de l'Agence canadienne de développement international (ACDI), Direction de la coopération technique, *A Review of CIDA's Policies and Procedures for Technical Cooperation in Reference to the DAC Principles*, février 1993 (document interne). On trouve une bonne explication du concept chez Phillip Rawkins, «An Institutional Analysis of CIDA» dans Cranford Pratt (dir.), *Canadian International Development Assistance Policies : An Appraisal*, Montréal et Kingston, McGill-Queen's University Press, 1994.

capacités quand on s'engage dans cette voie. Il faut aussi se demander quelles capacités il faut renforcer : celles des individus ? celles des organisations ? celles d'un secteur ? Ou bien doit-on viser la société civile dans son ensemble ?

Rappelons qu'à la suite du Sommet de la Terre un plan d'action fut établi pour le XXIe siècle. Appelé Agenda 21, ce plan définit les objectifs et les priorités du développement durable et institutionnalise l'action des ONG auprès des gouvernements et des organismes multilatéraux. Les ONG, ces organisations non gouvernementales locales, nationales et internationales (dont les plus puissantes sont Médecins Sans Frontières [MSF] , Greenpeace, le Fonds mondial pour la nature [WWF], l'Unicef et d'autres organisations caritatives, religieuses ou civiles), prirent une importance sans précédent, se présentant souvent comme la troisième voie, celle de la société civile.

1.4.1. La situation du monde a bien changé en vingt ans

Rappelons qu'entre 1948 et 1951 les États-Unis consacrèrent plus de treize milliards de dollars de l'époque (dont onze milliards en dons) au rétablissement de 17 pays européens, en réponse à la demande de l'Organisation européenne de coopération économique (OECE, aujourd'hui l'OCDE). Le montant total de l'aide correspond à 100 milliards de dollars actuels. C'est ce que l'on a appelé le plan Marshall[20], qui a été souvent cité comme exemple de la façon dont l'aide économique massive peut produire la prospérité. Cependant, certains ont précisé que la reconstruction d'après-guerre de l'Europe était un problème moins ardu que le développement actuel du tiers-monde, encore moins du quart-monde. L'Europe, quoique dévastée par la guerre, gardait une infrastructure physique significative (canaux, ports, réseau ferré, usines, etc.) et pouvait tirer avantage de la qualification technique de ses travailleurs, ce qui n'est certainement pas le cas pour le tiers-monde.

20. Ce fut l'un des plans de reconstruction de l'Europe après la Deuxième Guerre mondiale, connu officiellement après son élaboration comme Programme de rétablissement européen (European Recovery Program ou ERP). Le plan Morgenthau, qui prévoyait faire payer les réparations par l'Allemagne, fut écarté par l'administration Truman : on se souvenait des effets désastreux d'une telle politique après la Première Guerre mondiale (la question des réparations allemandes avait en partie permis l'ascension de Hitler). L'initiative fut baptisée, par les journalistes, du nom du secrétaire d'État américain, le général George Marshall, qui, lors d'un discours à l'université Harvard (5 juin 1947), exposa la volonté du gouvernement des États-Unis de contribuer au rétablissement de l'Europe.

L'Allemagne et le Japon, malgré la défaite des pays de l'Axe et grâce au plan Marshall, se sont relevés rapidement et avec beaucoup de succès. Il existe maintenant des pays émergents (est-ce dû à l'aide au développement ou à la découverte de richesses naturelles, comme le pétrole, dans le cas des pays du Golfe?). Les quatre petits dragons asiatiques (la Corée du Sud, Singapour, Hong Kong, Taiwan), entraînés par la croissance du Japon, sont en plein développement. La Chine et l'Inde atteignent des taux de croissance de l'ordre de 8%, 10%, 12% par année. Peut-être l'Afrique du Sud ou le Brésil sont-ils en train de « décoller », comme dirait Rostow. Mais le grand échec de développement, c'est l'Afrique, qui est en voie de décroissance (si l'on peut s'exprimer ainsi!), de même que plusieurs pays de l'Amérique latine et de l'Asie. Pour plusieurs pays africains ou du Moyen-Orient, la guerre civile est aussi un facteur aggravant, de même que la corruption et la dilapidation des richesses du territoire.

En ce début de XXIe siècle, la mission du développement n'est plus du tout la même; on se demande si le concept même n'est pas à revoir totalement. Certains pays refusent maintenant l'aide au développement, par exemple l'Inde à la suite des destructions massives du tsunami de décembre 2004. Pourquoi en est-il ainsi? C'est que l'aide au développement comporte en contrepartie bon nombre d'obligations, comme le devoir de rembourser coûte que coûte l'argent prêté, au détriment du maintien des crédits à la santé, à l'éducation et aux autres services essentiels (c'est l'effet pervers des PAS ou programmes d'ajustement structurel de la Banque mondiale), comme la nécessité d'adopter un modèle de développement en accord avec celui du pays donateur. Plusieurs pays donateurs considèrent l'aide au développement comme une extension de leur commerce extérieur; cependant, certains pays récipiendaires reçoivent des dons empoisonnés: des biens de consommation superflus, des produits de grandes marques, des médicaments sous brevet, des céréales stériles, etc.

Je pense qu'il y a lieu de distinguer l'aide au développement de l'aide humanitaire d'urgence aux populations démunies, qui a sa raison d'être en cas de catastrophes naturelles (tsunami, sécheresse, cyclone, etc.) ou de guerre civile et de génocide. Grâce à la mobilisation de la presse internationale et à l'effet spectaculaire des images montrées à répétition, les organisations internationales et nationales (comme l'ONU, l'Unicef, la Croix-Rouge, MSF) réussissent à amasser des sommes considérables pour un secours immédiat; parfois même on doit stopper les opérations (comme dans le cas du tsunami), quand l'afflux d'aide risque de tourner au cafouillage sur le terrain. Mais ces opérations, si spectaculaires soient-elles, sont éphémères et sans lendemain et ont tendance à faire oublier les autres catastrophes de la planète[21].

Il faut bien admettre que ce sont les pays développés qui imposent leur programme aux pays en voie de développement, que ce soit en matière d'environnement, de droits humains, d'*empowerment* (l'autonomisation de la femme), de bonne gouvernance, de sécurité. En fait, pour sortir de l'assistance sociosanitaire, les pays ont besoin d'infrastructures de transport et de communication, d'institutions financières fiables, d'une administration publique honnête, de formation de main-d'œuvre, de commerce équitable. La mondialisation exige des accords internationaux ou régionaux (pensons à l'Organisation mondiale du commerce [OMC], à la Communauté européenne, à l'ALENA, au Mercosur, etc.) pour réguler d'une façon plus juste les échanges entre les pays et les régions, pour empêcher les dérives protectionnistes, l'accaparement des richesses de la terre (comme l'eau) par certains pays, pour protéger, enfin, certaines communautés des génocides perpétrés à leur égard.

Le Sommet mondial sur la société de l'information (SMSI) a permis de dégager le concept de **communication globale**, plutôt comme valeur programmatique que comme réalisation effective. Internet comme symbole du Réseau planétaire est un outil puissant de gouvernance mondiale, à condition qu'il soit protégé contre la mainmise des sociétés nationales et transnationales, à condition qu'il ne soit pas corrompu par des individus ou des groupes malhonnêtes ou mafieux (qui diffusent des propos haineux ou de la pornographie), à condition qu'il ne fasse pas l'objet d'un contrôle étatique excessif. Internet est un outil, pas un programme politique: outil de diffusion (par le Web), mais aussi d'organisation et de dialogue (par le courriel, le *chat*, les blogues, les forums). Au SMSI, on a vu de multiples pratiques de gouvernance en ligne, d'éducation en ligne, de partage de savoir entre groupes de recherche, d'informations alternatives, de regroupement d'ONG, de luttes de genres ou d'organisations politiques – ce que nous verrons en profondeur plus loin.

21. Un ouragan en chasse un autre; on a dit qu'il se produit un tsunami par six mois en Afrique, mais qui parle du Darfour, du sida ou de la famine dans les pays sahéliens?

GLOSSAIRE

Communication participative

Approche de communication pour le développement (CPD) qui consiste en un processus par lequel les populations définissent leurs problèmes, les analysent, les hiérarchisent et trouvent leurs propres solutions. Cette forme de communication a pour intention le partage plus équitable du pouvoir entre les interlocuteurs par la prise de parole, le dialogue et la recherche de consensus en vue de l'action concertée.

Communication pour le développement (CPD)

Discipline qui, à partir des théories du développement et de celles de la communication, consiste à élaborer et à appliquer des stratégies et des concepts de communication dans le cadre d'un processus de développement.

Communication pour le changement de comportement (CCC)

Tendance de CPD qui se caractérise par la diffusion d'informations dans le but de modifier le comportement d'une personne ou d'un groupe de personnes.

Communication pour le changement social

Processus de dialogue public et privé par lequel les gens définissent qui ils sont, ce qu'ils veulent et comment ils peuvent l'obtenir.

Édu-divertissement

Approche de CPD qui consiste à concevoir et à diffuser de façon intentionnée des messages médiatisés pour éduquer et divertir un public cible, dans le but d'accroître ses connaissances relativement à un thème, de créer des attitudes favorables chez ce public cible et de l'inciter à changer son comportement.

Empowerment

Processus par lequel les individus et les communautés prennent le contrôle direct de leur vie et de leur environnement.

Information-Éducation-Communication (IEC)

Approche de CPD qui utilise de manière planifiée et intégrée les techniques et les ressources de l'information, de l'éducation et de la communication pour faciliter, chez un individu, un groupe ou une communauté donnée, l'adoption, le changement ou la consolidation des comportements favorables au bien-être individuel ou collectif.

Marketing social

Approche de CPD qui consiste à concevoir, à mettre en œuvre et à assurer le suivi de programmes créés afin d'influencer l'acceptabilité de certaines idées sur le plan social et qui nécessite la prise en compte de facteurs comme la planification du produit, son prix, son positionnement et sa promotion.

Média alternatif

Média écrit, audiovisuel ou électronique de portée locale, régionale, nationale ou internationale qui se situe à l'extérieur des courants de pensée dominants et de la structure de propriété des médias traditionnels.

Média communautaire

Média écrit, audiovisuel ou électronique de portée locale ou régionale qui se caractérise par sa participation à la vie de la communauté et par la participation de la communauté à sa gestion, à la définition et à la conception des contenus et à leur production.

Mobilisation sociale

Approche de CPD qui consiste en un processus par lequel les membres d'une communauté prennent conscience de l'existence d'un problème, en viennent à considérer la résolution de ce problème comme une priorité pour la communauté et décident des actions à entreprendre pour résoudre le problème. Elle se fonde sur une approche globale et planifiée qui met l'accent sur la constitution de vastes coalitions politiques et sur l'action à l'échelon communautaire.

Plaidoyer

Approche de CPD qui vise à influencer les décideurs au niveau local, régional, national ou même international, dans le cadre des processus décisionnels officiels ou non officiels. En ce sens, il s'agit d'actions de communication entreprises par des individus, des groupes ou des communautés dans le but d'avoir une incidence sur les décisions qui influencent leur vie.

BIBLIOGRAPHIE

AMIN, Samir (1988). *L'échange inégal et la loi de la valeur,* Paris, Anthropos-Economica.

BELTRÁN, Luis Ramiro (1993). « Communication for Development in Latin America: a Forty-year Appraisal », dans D. Nostbakken et C. Morrow (dir.), *Cultural Expression in the Global Village* (p. 10-11), Penang, Malaysia, Southbound.

BESSETTE, Guy (1996). « L'évolution des tendances en matière de communication pour le développement », dans *La communication pour le développement en Afrique de l'Ouest: vers un agenda d'intervention et de recherche,* Ottawa, CRDI.

CARDOSO, Fernando Henrique (1984). *Les idées à leur place: le concept de développement en Amérique latine,* Paris, A.M. Métailié.

COMMISSION FRANÇAISE DE L'UNESCO (2005). *La société de l'information: glossaire critique,* Paris, Documentation française.

FAO, Groupe de travail informel sur les approches et méthodes participatives, *Notre vision,* <www.fao.org/participation/français/ourvision.html>, consulté le 7 juillet 2006.

FIGUEROA, Maria Elena *et al.* (2002). *Communication for Social Change: An Integrated Model for Measuring the Process and Its Outcomes.* Communication for Social Change Working Paper Series, No. 1, New York, The Rockefeller Foundation.

FNUAP, Rockefeller Foundation, Unesco et Institut Panos (2002). *Communication for Development Roundtable Report.*

FREIRE, Paolo (1970). *Pédagogie de l'opprimé,* Paris, Maspero.

HOGUE, Manon et Jean-Paul LAFRANCE (2004). *Cadre de référence en matière de communication pour le développement : analyse du réseau de communications sociales du Burkina Faso,* cahier de la Chaire Unesco-BELL, sous la direction de J.-P. Lafrance, Montréal, automne.

LATOUCHE, Serge (1986). *Faut-il refuser le développement?,* Paris, Presses universitaires de France.

MATTELART, Armand (1978). *Multinationales et systèmes de communication : les appareils idéologiques de l'impérialisme,* Paris, Anthropos.

MATTELART, Tristan (2005). « Internationalisation de l'audiovisuel : état des savoirs », dans *Actes du colloque international 1945-2005 : 60 ans de communication pour le développement,* Université de Douala, 26 au 30 avril 2005.

MINISTÈRE DE LA COMMUNICATION DU BURKINA FASO (2001). *Document de la politique nationale de communication pour le développement,* Gouvernement du Burkina Faso, en collaboration avec l'Organisation des Nations Unies pour l'alimentation et l'agriculture (FAO).

RIST, Gilbert (1996). *Le développement : histoire d'une croyance occidentale,* Paris, Presses de Sciences Po.

ROCKEFELLER FOUNDATION (1999). *Communication for Social Change : A Position Paper and Conference Report,* New York, Rockefeller Foundation.

ROGERS, Everett M. (1976). « Communication and Development : The Passing of the Dominant Paradigm », *Communication Research, 3*(2).

ROGERS, Everett (1983). *Diffusion of Innovations,* New York, The Free Press.

SCHILLER, Herbert I. (1992). *Mass Communication and the American Empire,* 2e éd., Cambridge, Westview Press.

SCHRAMM, Wilbur (1963). *The Science of Human Communication,* New York, Basic Books.

VARGAS, Laura (1992). *Técnicas participativas para la educacion popular,* San José, Costa Rica, Centro de Estudios y Publicaciones Alforja.

II

APPLICATIONS THÉMATIQUES

CHAPITRE

2

COMMUNICATION POUR LA SANTÉ
De multiples approches théoriques

Lise Renaud, Ph. D.
et Carmen Rico de Sotelo, Ph. D.[1]

1. Lise Renaud, Ph. D., et Carmen Rico de Sotelo, Ph. D., sont professeures au Département de communication sociale et publique à l'UQAM.

La santé demeure plus que jamais une préoccupation pour l'ensemble des gouvernements de la planète : multiplication des épidémies (SRAS, grippe aviaire, etc.), augmentation de l'obésité, recrudescence des MTS-sida, autant de problèmes de santé qui affectent des régions entières et qui, parfois, prennent une proportion pandémique. Parmi les stratégies employées pour surmonter ces problèmes de santé, les moyens de communication sont largement utilisés par les agences et organismes gouvernementaux, les agences internationales et les organismes à but non lucratif pour amener la population, qu'elle soit locale, régionale, nationale ou internationale, à atteindre un état de bien-être physique, mental et social.

La communication pour la santé se définit comme l'étude et l'utilisation de stratégies de communications interpersonnelles, organisationnelles et médiatiques visant à informer et à influencer les décisions individuelles et collectives propices à l'amélioration de la santé. La communication pour la santé s'exerce dans des contextes multiples : relation entre patient et prestataire de services ; recherche d'informations sur la santé par un individu ou un groupe ; adhésion d'un individu ou d'un groupe à un traitement ou à des recommandations spécifiques ; élaboration de campagnes de sensibilisation destinées au grand public ; sensibilisation aux risques pour la santé associés à des pratiques ou à des comportements spécifiques ; diffusion dans la population d'une certaine image de la santé ; diffusion de l'information relative à l'accessibilité aux soins de santé ; communication auprès des décideurs afin qu'ils modifient l'environnement, etc.

Au début de son utilisation, la diffusion de l'information était considérée comme suffisante pour atteindre ces objectifs. Bien vite, les gouvernements ont admis ses limites, tout en reconnaissant que les communications sont de puissants moteurs de promotion de la santé. Les communications pour la santé ne sont pas une fin en soi ; elles participent du contexte global où la santé devient l'affaire de tous. Ainsi, les communications pour la santé sont nécessaires, mais non suffisantes, pour engendrer les changements sociosanitaires en vue desquels les agences de santé les utilisent.

Le présent article relate l'évolution des approches de communication en matière de santé. Pourquoi, après le déploiement de tant de programmes utilisant les communications pour la santé, les problèmes sociosanitaires persistent-ils ? L'article fait ressortir une coexistence d'approches théoriques différentes et parfois opposées selon les écoles.

Il demeure que la communication comme vecteur de changement de comportement semble rester l'axe théorique dominant dans le secteur de la santé.

2.1. LES COMMUNICATIONS: UNE PRIORITÉ GOUVERNEMENTALE POUR LA MISE EN ŒUVRE DE LA SANTÉ POUR TOUS

La Conférence internationale sur les soins de santé primaires qui s'est déroulée à Alma-Ata au Kazakhstan en 1978 a été décisive pour la problématique «Communication et santé». La Déclaration d'Alma-Ata a désigné l'information et l'éducation à la santé comme les premières parmi les huit priorités en matière de soins de santé primaires. Selon cette déclaration, l'approche en soins de santé primaires implique:

1. **le droit des populations** de connaître leurs principaux problèmes de santé et de participer à leur solution; et
2. le **devoir des gouvernements** «de favoriser et d'assurer une pleine participation des communautés à cette action (soins de santé primaires) moyennant la diffusion efficace d'informations pertinentes, l'alphabétisation et la mise en place de structures institutionnelles nécessaires pour que les individus, les familles et les communautés puissent assumer la responsabilité de leur santé et de leur bien-être[2]».

De plus, en 1986, la Charte d'Ottawa pour la promotion de la santé (OMS, 1986) affirmait l'importance des communications comme l'une des cinq stratégies complémentaires et essentielles permettant de confier aux collectivités et aux individus le soin d'améliorer leur propre santé. Notons qu'en août 2005 les principes de la Charte d'Ottawa ont été réitérés dans la Charte de Bangkok (OMS, 2005), qui reprend et complète les valeurs, principes et stratégies d'action établis par la Charte d'Ottawa pour la promotion de la santé. Au cœur de la Charte de Bangkok se trouve ainsi réaffirmée la préoccupation que les communautés se dotent de moyens d'action leur permettant d'agir et d'améliorer la santé de leur population. Parmi les stratégies possibles, les participants ont privilégié l'éducation à la santé, la communication pour la santé et l'action politique. Ainsi, depuis les années 1980, nombre de pays se sont inscrits dans un processus actif d'utilisation des communications dans le domaine de la santé publique.

2. Rapport de la Conférence d'Alma-Ata sur les soins de santé primaires, du 6 au 12 septembre 1978, p. 25.

Dans le contexte du développement, les agences internationales de l'ONU, particulièrement celles intervenant dans le domaine de la santé comme l'Organisation panaméricaine de la santé (OPS) et l'Organisation mondiale de la santé (OMS), ont uni leurs efforts pour participer à la mise en place de moyens pour réaliser les priorités définies dans la Déclaration d'Alma-Ata de 1978 ou dans la Charte d'Ottawa de 1986. Elles ont notamment bâti des campagnes d'éducation sanitaire dont les acteurs relais sont les gouvernements nationaux.

2.2. LA COMMUNICATION POUR LA SANTÉ : COEXISTENCE DE PLUSIEURS APPROCHES

2.2.1. L'APPROCHE DE LA MODERNISATION : UN MODÈLE LINÉAIRE DE CHANGEMENT D'ATTITUDE ET DE COMPORTEMENT

Tous les pays signataires ont mis en œuvre des campagnes de communication et d'éducation pour la santé visant les changements d'attitude et de comportement (Caron-Bouchard et Renaud, 2001). Le vocable Information-Éducation-Communication (IEC) désigne une manière d'étendre au niveau international des campagnes d'éducation qui étaient menées au niveau national, voire local. Waisbord (2001, cité par Hogue, 2004, p. 10) définit l'IEC comme «l'ensemble des interventions qui utilisent de manière planifiée et intégrée les démarches, techniques et ressources de l'information, de l'éducation et de la communication pour faciliter, au niveau d'un individu, d'un groupe ou d'une communauté donnée, l'adoption, le changement ou la consolidation des comportements favorables au bien-être individuel et collectif». C'est le cas par exemple d'une campagne télévisuelle sur le sida au Nicaragua (voir encadré) où une ONG nicaraguayenne a réalisé entre 1994 et 1996 des campagnes médiatiques (radio, affiches, journaux, télévision) afin de sensibiliser les jeunes adultes de 15 à 29 ans à la problématique du sida.

Sur un plan plus général, cette volonté d'influer sur les comportements des acteurs sociaux en vue de faire accepter une innovation sociale ou technologique correspond, au niveau international, à ce qu'on a appelé le paradigme de la modernisation (Servaes et Patchanee, 2004). Développée entre la fin de la Deuxième Guerre mondiale et les années 1970, cette approche qui se base sur le modèle diffusionniste examine les spécificités culturelles comme des obstacles qu'il faut vaincre en vue de l'adoption des comportements souhaités.

LA CAMPAGNE TÉLÉVISUELLE CONTRE LE SIDA, NICARAGUA[1]

À l'intérieur de son plan d'action de développement communautaire, le *Centro de Información y Servicios de Asesoría en Salud* (CISAS), une ONG nicaraguayenne, a réalisé entre 1994 et 1996 des campagnes médiatiques (radio, affiches, journaux, télévision) afin de sensibiliser les jeunes adultes de 15 à 29 ans à la problématique du SIDA.

Les annonces publicitaires télévisuelles ont fait l'objet d'une évaluation d'impact auprès de 367 jeunes adultes de Managua. Plus spécifiquement, l'évaluation consistait à analyser les connaissances acquises, à mesurer la notoriété de la campagne auprès du public cible et à examiner si le message induisait une réflexion sur le problème et provoquait les changements comportementaux sexuels désirés.

Les résultats de cette évaluation montrent que 98 % des répondants affirment que la télévision est une bonne stratégie pour les rejoindre et environ 23 % se rappellent la teneur du message publicitaire. Les recommandations de cette évaluation sont que : 1) les contenus des messages devraient être plus près des interrogations et des préoccupations des jeunes adultes ; 2) la campagne devrait être plus large et comporter des actions relais sur le terrain, notamment par une stratégie d'éducation sexuelle à diffuser à l'école, dans les activités communales, les mouvements religieux et les clubs sportifs ; 3) la cible médiatique devrait inclure les préadolescents et les adolescents, donc ceux qui amorcent leur vie sexuelle ; 4) les communications médiatiques, pour être efficaces, doivent être planifiées dans le cadre d'un ensemble de stratégies comme la formation des promoteurs, la mobilisation et la coordination des actions communautaires.

1. M. GÓMEZ ZAMUDIO, *Teoría y Guía Práctica para la Promoción de la Salud*, Université de Montréal, Unité de santé internationale, 1998.

Devant les échecs répétés dans l'implantation d'un certain nombre de programmes de santé, les organisations internationales actives dans le domaine ont relevé un certain nombre de facteurs endogènes explicatifs à leurs yeux des résultats mitigés constatés lors des phases d'évaluation. Les agences internationales spécialisées à l'œuvre dans le domaine de la santé identifient comme causes internes des échecs les facteurs suivants (OMS, 1987) :

1. une absence de réglementations politiques des pays en faveur de l'utilisation des communications pour la promotion de la santé ;

NAÎTRE ÉGAUX, GRANDIR EN SANTÉ[1]

Le programme québécois *Naître égaux, grandir en santé* s'adresse à des femmes enceintes ayant moins de onze années de scolarité et dont le revenu familial se situe en deçà du seuil de pauvreté. Le programme amorcé en 1994 a été conçu afin d'améliorer la santé et la qualité de vie des nouveau-nés et de leurs parents. Les objectifs visaient notamment: 1) l'augmentation des taux de naissance pour lesquels le poids du bébé serait supérieur à 2500 grammes; 2) la diminution des enfants présentant des retards de croissance intra-utérienne; 3) la diminution du nombre de naissances prématurées; 4) la réduction du nombre des abus et de la négligence à l'égard des enfants.

Le programme met l'accent sur une approche d'*empowerment* et préconise trois stratégies d'intervention: le renforcement du potentiel individuel des personnes, le renforcement du milieu ainsi que de l'influence médiatique et politique. L'articulation de ces trois stratégies passe par un suivi professionnel individuel, intégré à l'accompagnement communautaire et à une démarche locale d'action intersectorielle. Dans le prolongement des suivis individuels, les intervenantes mènent une démarche pour comprendre collectivement les difficultés de ces familles, déterminer leurs forces et trouver des solutions avec le milieu. Des ententes de collaboration sont définies afin que ces familles soient dirigées vers divers groupes communautaires (cuisines collectives, halte-répit, etc.), ces ressources jouant un rôle déterminant en matière d'intégration sociale. Les intervenants des ressources communautaires, des centres locaux de services communautaires (CLSC), des centres de la petite enfance, de certains organismes municipaux comme les loisirs ou la police, de la Direction de la santé publique, etc., sont engagés dans des regroupements locaux d'action intersectorielle. Ceux-ci permettent de coordonner les efforts de tous ces acteurs pour créer ou consolider des ressources communautaires, rejoindre les familles les plus isolées, améliorer les conditions de

2. une mauvaise coordination entre le secteur de la santé et celui des communications, d'où la nécessité d'établir des mécanismes fonctionnels entre le secteur de la santé et celui des médias;
3. le dénigrement des moyens traditionnels de communication;
4. la place réservée à l'information pour la santé qui reste infime par rapport aux publicités des grandes multinationales;
5. une stratégie ponctuelle des actions d'information et non une vision intégrée et à long terme;

vie de ces familles, rendre plus accessibles les ressources de soutien parental ou de stimulation infantile et faire le lobbying médiatique ou politique correspondant.

L'évaluation du programme basée sur des données recueillies entre 1994 et 1998, auprès de 1340 femmes défavorisées et réparties au hasard entre un groupe contrôle recevant seulement des suppléments alimentaires et un groupe expérimental bénéficiant d'un suivi personnalisé tel que précisé plus haut, montre que les résultats ne permettent pas de constater de différences significatives entre le groupe expérimental et le groupe contrôle, tant en ce qui a trait à l'insuffisance de poids à la naissance qu'en ce qui regarde le retard de croissance intra-utérine ou à la prématurité. Par contre, le programme a eu un effet positif et significatif sur le niveau moyen des symptômes dépressifs postnatals des nouvelles mères. On a aussi noté une forte tendance à faire moins d'anémie postnatale chez les femmes qui ont bénéficié du programme ainsi qu'une fréquence plus élevée d'allaitement maternel après l'accouchement parmi les mères d'origine canadienne. Finalement, sur le plan du soutien social, les femmes du groupe expérimental ont reçu plus d'aide matérielle et elles ont eu plus de possibilités de se confier. Cependant l'étude de Judith Lapierre montre que le partage de pouvoir entre les professionnels de la santé et les femmes est un réel défi. L'ensemble des résultats de ce programme fait directement appel au réseau de la santé et des services sociaux pour qu'il fasse de la réduction des inégalités un véritable enjeu de santé publique. Il faut, hors de tout doute, agir d'abord en amont, avant que les femmes défavorisées ne deviennent enceintes.

1. Propos tiré de l'article de J.-M. Brodeur, G. Boyer, L. Séguin, M. Perreault et C. Colin, «Le programme québécois Naître égaux, grandir en santé», dans *Santé, Société et Solidarité*, nº 1, 2004, p. 119-127.

6. la nécessité d'une formation appropriée des personnels des secteurs de la santé et de la communication.

Dans le même sens, le projet du consortium des universités d'Amérique latines (2005) pour le développement des compétences communicationnelles des travailleurs des secteurs de la santé et des communications a permis de constater que les multiples actions de communication en santé se traduisaient surtout par des campagnes de portée réduite et par une immense production de matériel informatif et éducatif utilisé ensuite pour renforcer les activités des services de santé (ateliers, conseil) ou promouvoir la présence institutionnelle au moyen de produits marketing et publicitaires.

2.2.2. L'APPROCHE DE LA DÉPENDANCE : CONSCIENTISATION ET *EMPOWERMENT*

Ces constatations remettent en question le fait de s'attaquer uniquement aux comportements individuels des gens, puisque les problèmes persistent toujours et sont attribuables à des facteurs extérieurs, notamment aux inégalités et injustices structurelles. Elles ont conduit progressivement à d'autres approches, telles que l'*empowerment* (ou autonomisation), la conscientisation des groupes et l'éducation populaire, qui deviennent des concepts clés sur lesquels reposent certains projets de communication en santé publique. Cette orientation plus politique s'inscrit en réaction aux inégalités macrostructurelles dénoncées dans le cadre du paradigme de la dépendance. On voit apparaître

COMMUNICATION PARTICIPATIVE DES JEUNES D'UNE COMMUNE DÉFAVORISÉE DE CALI[1]

Pour surmonter les problèmes de violence et promouvoir les principes de citoyenneté avec le concours des jeunes d'un quartier paupérisé de Cali en Colombie (commune 18), le projet de la Corporación El Parche a été implanté en 1999 et a pris fin en 2002. Il s'agissait d'une organisation de jeunes, regroupant une trentaine d'adolescents, dont le but principal est la promotion du développement social et qui vise l'intégration communautaire au moyen d'activités artistiques et culturelles. Les activités organisées par le groupe El Parche touchaient les quatre champs suivants : l'éducation, la culture, la communication et la formation de réseaux sociaux. Elles ont bénéficié aux enfants, aux préadolescents et aux adolescents de statut socioéconomique faible de la commune 18.

Les activités de communication incluaient des ateliers de production photographique, d'élaboration de vidéos et de documentaires sur la commune 18 afin de promouvoir la participation sociale des jeunes. En ce qui concerne plus précisément le groupe d'enfants, le groupe El Parche visait la promotion de la « concorde citoyenne » ainsi que le travail en équipe au moyen de jeux, d'ateliers d'arts plastiques et de théâtre, ainsi que de présentations de films suivies de groupes de discussion. Par ailleurs, le processus de participation sociale s'est étendu à d'autres communes par le biais des activités musicales. Le groupe El Parche a offert de nombreux ateliers de rap aux jeunes des programmes de communication où les professionnels de la santé dialoguent avec les populations défavorisées afin que ces dernières acquièrent du pouvoir sur leur vie en développant des capacités individuelles et communautaires pour se prendre en main. C'est le cas du programme *Naître égaux, grandir en santé* (voir encadré), implanté dans tout le Québec (les femmes enceintes démunies) et soutenu par le réseau du système de santé.

L'approche préconisée est du type *empowerment*. Le professionnel de la santé accompagne la femme afin que celle-ci reprenne le contrôle sur sa vie. Cependant, si l'évaluation de ce programme montre, certes, une incidence positive sur la santé des mères, notamment en regard de la réduction des symptômes dépressifs postnatals, elle ne révèle aucune amélioration du poids du nouveau-né. De plus, l'évaluation montre que la volonté politique est présente, mais que l'application d'un partage réel du pouvoir entre les professionnels de la santé et les femmes défavorisées n'est pas encore totalement mise en pratique, c'est-à-dire qu'il n'est pas appliqué partout dans toutes les instances de travail.

Afro-Colombiens habitant d'autres quartiers défavorisés. Plusieurs enregistrements de travaux musicaux ont été produits, intégrant plus de 15 groupes de rap de la ville de Cali. Le démo a été présenté à plusieurs stations de radio de la ville. De plus, le groupe El Parche a organisé des festivals d'art au sein de la commune 18 afin de réunir enfants, adolescents et adultes.

Une étude exploratoire et évaluative menée en 2002 avait pour objectif d'examiner, chez les jeunes, les répercussions de leur participation à une organisation juvénile. Les résultats de l'évaluation montrent que les points forts du projet ont été les effets positifs sur la santé et le bien-être des jeunes participants ainsi que sur leur acquisition de compétences utiles pour la vie (*life skills*). Par contre, les insuffisances du projet concernent la participation sociale difficile des membres du groupe El Parche dans les conseils locaux de la commune 18. En effet, le milieu communautaire n'était pas réceptif aux doléances des nouveaux interlocuteurs (les jeunes) et les conseils consultatifs locaux n'accordaient que peu de voix aux jeunes participants du groupe El Parche.

1. Propos tiré du livre de Natalia Gutiérrez intitulé *Étude exploratoire et évaluative des répercussions du projet El Parche sur le développement optimal des jeunes participants*, Cali, Colombie.

2.2.3. L'APPROCHE DU NOUVEAU DÉVELOPPEMENT : LA PARTICIPATION ET LE CODÉVELOPPEMENT

Enfin, en lieu et place du modèle axé sur les changements comportementaux, le paradigme du nouveau développement se préoccupe de la réception des programmes par les populations locales et de la prise en considération des enjeux dans des perspectives plus larges. Il appelle à une participation active des populations et met les individus au centre du dispositif communicationnel, de manière à rendre le changement permanent. Cela suppose que l'on dépasse la conception de la santé omniprésente dans les modèles diffusionnistes et dans celui du changement de comportements/IEC, etc., pour parvenir à comprendre la santé en tant qu'ensemble de processus et de relations qui se tissent entre les personnes, comme participation, entente, négociation de connaissances et de pratiques. Bref, que l'on passe d'une position individuelle (je-tu) à une approche relationnelle (nous). Cette perspective dynamique renouvelée est issue d'une réflexion et d'une recherche sur les processus de communication en santé, où l'on a constaté que les produits communicationnels étaient devenus le noyau des stratégies au détriment des publics destinataires, c'est-à-dire une stratégie centrée exclusivement sur le **produit** à réaliser. La logistique et les ressources communicationnelles sont passées au premier plan pour laisser en arrière-fond les **processus** qui supportent les changements individuels et collectifs. C'est le cas du programme de Communication participative des jeunes d'une commune défavorisée de Cali (voir encadré) qui, pour combattre la violence, promulguait les principes de citoyenneté avec le concours des jeunes d'un quartier paupérisé.

Les résultats les plus visibles du projet ont été les répercussions positives sur la santé et le bien-être des jeunes participants, ainsi que l'acquisition de compétences utiles pour la vie (*life skills*) ; par contre, on déplore l'intégration sociale difficile des membres du groupe dans les conseils locaux de la commune. En effet, le milieu communautaire n'était pas réceptif aux doléances des nouveaux interlocuteurs (les jeunes) et les conseils consultatifs locaux n'accordaient que peu de voix aux jeunes participants.

Ce changement qualitatif est de taille : le cadre théorique actuel serait celui du passage progressif du patient à l'usager, puis au citoyen.

Le projet du consortium des universités latino-américaines (2005) s'inscrit dans cette perspective et a ainsi fixé une feuille de route en communication pour la santé qui privilégie les points suivants :

- la décentralisation privilégiant les espaces locaux (quartier, ville, place publique, etc.) ;

- l'utilisation de nouvelles stratégies communicatives: débat public, animation culturelle, plaidoyer, etc.;
- la communication vue comme un processus et non comme un ensemble de matériels de promotion;
- la construction d'indicateurs de communication basés sur les aspects culturels et de promotion de la santé.

CONCLUSION

Nous avons décrit de grandes approches qui ont influencé les communications dans le domaine de la santé: l'approche de la modernisation (communication linéaire pour le changement de comportement, Information-Éducation-Communication [IEC]), l'approche de la dépendance (*empowerment* et conscientisation) et celle du nouveau développement (communication participative ou codéveloppement). Bien que ces approches coexistent et que les organisations aient constaté les limites de l'approche basée sur le changement de comportement, il demeure que cette dernière constitue toujours le paradigme dominant en matière de santé publique. Selon cette approche on conduit des campagnes de santé à forte tendance homogénéisante dans leurs définitions stratégiques et en attente quasi magique des résultats liés aux changements de comportements, comme si c'était une opération simple. Pourquoi les plans de communication en santé se ressemblent-ils tellement, alors que les populations, les problèmes, la culture et le vécu concret sont si différents? Pourquoi réalise-t-on les mêmes campagnes lorsqu'on s'adresse à une population rurale ou urbaine, à des jeunes ou à des aînés, à des femmes autonomisées ou dépendantes, dans des secteurs de pauvreté extrême ou moyenne, chez des ethnies aux modèles culturels différents? Il est évident que le modèle suivi est basé sur une intervention de campagne publicitaire stéréotypée. Ce modèle de campagne prédéterminé est pleinement repérable dans les approches diffusionnistes, mais il subsiste également dans certaines variantes de l'IEC. La communication se concentre ainsi – à tort – sur le rapport annonceurs-consommateurs, concept extrait des règles du marché qui s'appliquent mécaniquement partout et en tout temps, et nie ainsi les différences et les complexités. Dans cette perspective, la communication est un ensemble de recettes sur des étapes à franchir, suivies d'une évaluation de l'effet obtenu. Ainsi, «l'autre» ne constitue pas une énigme à déchiffrer ou à découvrir, mais un étranger qu'il faut convaincre pour qu'il modifie ou change son attitude. Il n'est pas considéré non plus comme un sujet social ou communautaire, enserré dans un tissu à la fois social, culturel, économique et psychologique.

Le projet du consortium des universités latino-américaines, à titre d'exemple, montre les efforts de réflexion et d'intervention qui remettent en question la conception de la communication verticale: prescriptive et descendante de la part des agents des institutions de santé et des médias vers la population vue comme homogène, sinon interchangeable. À l'opposé, dans l'approche communicationnelle basée sur la participation et le codéveloppement, l'individu est considéré comme l'acteur principal, en position de dialogue avec l'État et ses représentants dans un processus de communication civique qui permet de reconnaître des problèmes désignés conjointement par la population et par les autorités. Cette approche semble prometteuse, mais il faut que tous les acteurs s'offrent mutuellement un espace de dialogue; en effet, certaines conditions doivent être en place pour que cette réciprocité existe: démocratie, paix, répartition de la richesse, implication des organisations en faveur des conditions sociales, positionnement égalitaire des professionnels de la santé, etc.

Or, il ne suffit pas de formuler des projets et d'élaborer des campagnes de santé. Encore faut-il une volonté politique réelle pour la mise en œuvre effective des divers programmes conçus dans une perspective de participation et d'engagement citoyen. Au Canada et au Québec, les ministères de la santé ont maintenant des sections de communication spécialisées en santé publique. Cette volonté politique permet de travailler de concert avec toutes les instances et tous les groupes interpellés par diverses thématiques de santé, ainsi que d'élaborer des programmes tenant compte des diverses réalités économiques, ethniques et religieuses. Cependant, il existe encore un certain écart entre cette volonté politique et la mise en œuvre des programmes sur le terrain. Dans les pays d'Amérique latine ou d'Afrique, notamment, où la faiblesse des économies est assujettie à un certain contrôle des politiques de santé publique par des agences internationales telles que l'OMS, le défi majeur est de favoriser des initiatives partagées de communication et de santé qui soient réellement adaptées aux multiples contextes de la région. À cette fin, les décideurs locaux des divers pays, tant du secteur de la santé que de celui des communications, devraient comprendre l'intérêt de communiquer sur le thème de la santé et renforcer les initiatives participatives déjà en place.

BIBLIOGRAPHIE

CARON-BOUCHARD, M. et L. RENAUD (2001). *Pour mieux réussir vos communications médiatiques*, 2e éd., Montréal, Institut national de santé publique du Québec.

CONFÉRENCE D'ALMA-ATA SUR LES SOINS DE SANTÉ PRIMAIRES, du 6 au 12 septembre 1978, p. 25.

GÓMEZ ZAMUDIO, M. (1998). *Teoria y Guia Practica par la Promocion de la Salud*, Université de Montréal, Unité de santé internationale.

GUTIÉRREZ, N. (2003). *Étude exploratoire et évaluative des répercussions du projet El Parche sur le développement optimal des jeunes participants, Cali, Colombie*. Mémoire de maîtrise, Université de Montréal.

HOGUE, M. (2004). « Cadre de référence en matière de communication pour le développement », *Communication et développement international*, vol. 1, no 1.

ORGANISATION MONDIALE DE LA SANTÉ (1987). Rapport de Conférence-Atelier Médias et Santé à Saly-Sénégal, Afrique, [En ligne]. <http://www.who. AFR_IEH_6>, consulté en juin 2005.

ORGANISATION MONDIALE DE LA SANTÉ (2005). La Charte de Bangkok a été adoptée le 11 août 2005 par les participants à la 6e Conférence internationale de promotion de la santé. [En ligne]. <http://www.who.int/healthpromotion/conferences/6gchp/BCHP_fr.pdfhttp://www.who.int/healthpromotion/conferences/6gchp/BCHP_fr.pdf>, consultée le 21 décembre 2005).

PROJET DU CONSORTIUM DES UNIVERSITÉS LATINO-AMÉRICAINES (2005). *La Iniciativa de Comunicación. Proyecto de Fortalecimiento de las Capacidades Nacionales en Comunicación en Salud*, [En ligne]. <www.comminit.com/la/teoriasdecambio/Consortio-Universidades/lasld-2689.html>, consulté le 7 juillet 2006.

Renaud, L., C. Rico et O. Kane (2006). « Communication et santé : évolution des approches », dans P. Mongeau et J. Saint-Charles (dir.), *Communication : horizons de pratiques et de recherche*, vol. 2, Presses de l'Université du Québec (sous presse).

SERVAES, J. et M. PATCHANEE (2004). *Communication et développement durable*. Document de travail de la 9e table ronde sur la communication pour le développement, Organisation des Nations Unies (ONU), du 6 au 9 septembre 2004, Rome, Italie.

WAISBORD, S. (2001). « Nuevas Tendencias y Escenarios Futuros en el Periodismo : Oportunidades para el Periodismo en Salud », *Revista Diálogos de la Comunicación*, no 6, FELAFACS, Lima, Pérou.

WAISBORD, S. et G. COE (2004). « Comunicación, periodismo, salud y desafíos para el nuevo milenio », dans *Iniciativa de la Comunicación*, p. 23-184, [En ligne]. <http://www.comminit.com/la/lact/sld-5689.html>, consulté le 7 juillet 2006.

CHAPITRE

3

LA GOUVERNANCE EN LIGNE EN AMÉRIQUE LATINE

Une tentation pour les décideurs[1] ?

Santiago Castro
(avec l'amicale collaboration de Serge Katz)

1. Mots clés: e-gouvernance, gouvernement électronique, modernisation politique, participation, démocratie participative, transparence, démocratie électronique.

Les dix dernières années ont connu une expansion significative des nouvelles technologies de l'information et de la communication (NTIC), et plus particulièrement d'Internet. À la faveur de cet essor, les NTIC ont progressivement pris place dans l'arsenal des techniques de communication politique des gouvernements de la plupart des pays industrialisés. L'Amérique latine n'a pas échappé à ce développement. En effet, une navigation sur Internet permet aisément de confirmer cette tendance : pratiquement tous les gouvernements d'Amérique latine ont désormais leur propre site Web[2]. Ce constat n'est pas anodin : du fait des nouvelles possibilités techniques offertes par Internet, ces gouvernements proposent à leurs administrés des services jusque-là inédits.

Ils rendent ainsi plus accessible aux citoyens de l'information générale sur les activités de leurs divers ministères. Les gouvernements ont également trouvé dans l'interactivité d'Internet la possibilité d'offrir des services publics aussi divers que la consultation des horaires administratifs, l'accès aux formulaires, les informations sur les contrats, parmi d'autres aspects juridiques d'intérêt pour le citoyen, la possibilité de présenter sa déclaration sur sa situation patrimoniale, le paiement des impôts, le suivi des budgets publics avec la possibilité d'adresser au gouvernement ses propres réactions, l'espace pour dénoncer également toute action que le citoyen considère comme allant à l'encontre de ses droits, et même le vote en ligne.

3.1. MODERNISATION / COMMUNICATION ?

Les NTIC sembleraient donc favoriser un mouvement régional vers la modernisation des administrations publiques[3]. Ce mouvement implique évidemment des coûts, des restructurations des appareils administratifs et d'éventuels enjeux politiques liés aux choix qui se poseront si les économies et avantages attendus sont au rendez-vous. Sans ignorer des tels enjeux, notre intérêt ici devra se limiter à examiner les objectifs

2. À ce sujet, vous pourrez consulter à la fin de ce chapitre la liste des sites officiels des gouvernements d'Amérique latine.
3. À ce sujet, voir par exemple : « Modernisation de l'État et gouvernement électronique : convergence ou divergence ? », Colloque international sur le gouvernement en ligne, Edwin Law, OCDE, 24 mai 2005. Voir aussi la Banque interaméricaine de développement (BID) : « El Gobierno Electrónico se ha venido convirtiendo en una herramienta fundamental para la reforma y modernización del Estado. Algunos países de América Latina, entre los que se destacan Brasil y Chile, sobresalen en las estrategias de GE y lideran la región en este campo. » <http://www.iadb.org/sds/ict/site_6198_s.htm>.

affichés officiellement dans ces sites qui justifieraient un tel effort de modernisation et surtout le discours véhiculé dans ce contexte par les NTIC.

Naviguons donc sur quelques sites. Derrière les diverses informations et les nombreux services proposés, nous trouvons également des justifications à ce type d'initiatives. Nous lisons par exemple, sur une page du ministère de l'Intérieur du gouvernement de la Colombie, que « la justification de l'e-gouvernement est : son efficacité, sa transparence, la réduction des coûts, le rendement élevé et une plus grande compétitivité dans le commerce[4] ». L'objectif d'amélioration des services proposés aux citoyens et de l'amélioration dans l'efficacité de l'administration est donc accompagné des objectifs de *transparence* et de *responsabilité*, ce dernier étant mentionné plus loin.

Le site du ministère de la Science et la Technologie du Venezuela affiche de son côté l'intention de démocratiser l'accès à la connaissance et aux TIC pour que « les communautés puissent participer, facilitant ainsi l'objectif de donner le pouvoir au peuple à travers la connaissance[5] ». Cet objectif de favoriser la *participation démocratique* grâce aux possibilités offertes par les NTIC est également présent en Argentine où nous pouvons surfer par exemple sur un site qui attire notre attention par son titre (« e-démocratie »). Son objectif est d'informer les citoyens en les invitant à saisir la possibilité qu'ils ont de partager leurs connaissances et opinions sur des thèmes politiques (échanger leurs commentaires, articles et recherches), en mettant l'accent sur la relation de la démocratie avec les NTIC[6]. Processus semblable au Mexique[7] : les objectifs d'amélioration de l'efficacité, de l'efficience, du rendement et de la productivité, de même que de l'information publique, s'accompagnent des objectifs de *participation* du citoyen, de *responsabilité et de transparence* (obligation de rendre des comptes).

Nous pourrions continuer à puiser ces éléments dans beaucoup d'autres sites d'administrations publiques latino-américaines pour continuer à illustrer qu'il n'y a là rien d'anecdotique. L'essor des NTIC comme moyen de communication politique se justifie par le recours à des concepts démocratiques aussi puissants que ceux que nous venons de mettre en évidence. Nous pourrions nous demander si, derrière

---

4. <http://www.egobernabilidad.info/modules.php?name=News&file=article&sid=17>.
5. <http://www.gobiernoenlinea.gob.ve/directorioestado/iniciativas.html>.
6. <http://www.edemocracia.mendoza.gov.ar/modules.php?name=News&file=article&sid=227>.
7. <http://www.e-gobierno.gob.mx/wb2/eMex/eMex_Acerca_de_eGobierno>.

le discours de transparence, de responsabilité et de participation, il n'y a pas aussi une volonté de gain de *confiance* publique en tant qu'importante ressource politique. Sans répondre à cette question, nous constatons tout au moins que ces termes sont les principaux ingrédients qui définissent aujourd'hui des concepts nouveaux utilisés actuellement en Amérique latine pour parler du politique en relation aux NTIC. Parlons du cas du Chili pour examiner un de ces concepts. Le site officiel pour payer les impôts en ligne au Chili, en reprenant les objectifs que nous avons mentionnés pour d'autres cas, introduit une définition du « gouvernement électronique », vu comme une « nouvelle forme de gouvernement[8] ». Ce cas est très parlant, car il témoigne de la conviction et de l'espoir placés dans cette vision au point d'en faire une politique d'État.

Cet espoir suscite toutefois des réserves. La plus souvent évoquée, qui concerne la fracture numérique (*digital divide*), suffit à susciter des interrogations quant à la portée sociale de la « révolution numérique ». Dès lors que l'on poursuit ce questionnement au sujet des incidences politiques de l'usage des NTIC dans la gestion des affaires publiques, la plus grande réserve semble nécessaire.

L'observation des sites gouvernementaux latino-américains ne nous conduira pas à nous intéresser directement à leurs incidences sur la conduite des affaires publiques, ni à mesurer les modifications effectives introduites dans l'organisation des administrations préexistantes. Ces usages, très différents selon les contextes politiques de chaque pays – et au-delà même, à l'intérieur de ces pays, pour chaque zone géographique – et selon les populations à qui ils sont destinés, appellent des recherches approfondies. En fait, le point qui nous intéresse ici concerne au premier chef les discours qui justifient ces sites et qui, précisément, explicitent pour l'usager les incidences politiques censées résulter de leur utilisation.

3.2. L'ENTHOUSIASME AFFICHÉ DES DÉCIDEURS

Phénomène remarquable : au-delà de la variété des situations politiques et des pays concernés, les argumentaires suivent une rhétorique relativement identique. Désignés par des appellations diverses (e-gouvernance ou gouvernance électronique, gouvernement électronique, gouvernement en ligne, démocratie électronique), ces sites deviennent « un concept de gestion qui fusionne l'emploi intensif des technologies de

8. <http://www.sii.cl/sii_internet/sii_internet.htm>.

l'information et de la communication, avec les modalités de gestion et d'administration, en tant que nouvelle forme de gouvernement », pour reprendre les termes du site du gouvernement chilien.

Bien que l'on puisse s'étonner de l'ampleur des tâches assignées à ces services et moyens d'information en ligne, l'enthousiasme affiché des gouvernements latino-américains pour un outil de communication qu'ils utilisent et promeuvent n'a rien en soi de particulièrement étonnant. Le fait est plus remarquable si l'on met en rapport la thématique développée, les problèmes politiques et sociaux diagnostiqués et la désignation des NTIC comme solution, avec la problématique similaire développée au sein des institutions internationales. Ces dernières voient aussi dans les NTIC – ou, plus exactement, dans l'« e-gouvernance » – un vecteur privilégié pour « approfondir la démocratie ».

Dès lors, elles appuient les initiatives de ces gouvernements. Au niveau régional la Banque interaméricaine de développement (BID), par exemple, a proposé récemment aux pays d'Amérique latine et des Caraïbes d'appliquer les technologies du gouvernement électronique[9] en parlant d'objectifs d'efficacité, de transparence, de crédibilité et même de lutte contre la corruption ! Les espoirs quant au potentiel des NTIC se confirment par la volonté de la BID de soutenir les efforts de ces pays dans les achats nécessaires de la part des États en matière de nouvelles technologies.

Au niveau global et avec des incidences pour l'Amérique latine, l'ONU participe également à renforcer l'optimisme. Son rapport global sur les « Conditions favorables au gouvernement électronique[10] » met en avant les possibilités en matière de participation démocratique grâce à l'utilisation des NTIC. D'après une enquête réalisée auprès de ses 191 pays membres, l'ONU a évalué plus de 50 000 caractéristiques des sites des gouvernements dans le monde ; des critères permettent de juger de la qualité et de l'utilité de l'information et des services offerts *en termes de participation électronique par pays*. Cette étude a permis finalement de dresser un classement des pays en développement qui offrent les meilleurs services favorisant la participation. Parmi les premières places, il faut noter le Chili, le Mexique et la Colombie. Les possibilités en matière de développement qui découlent de cette application des NTIC apparaissent aisément avec ces nouveaux outils de prestation de services publics.

---

9. Voir l'article «BID propone a países de américa latina y el caribe aplicar tecnologías de gobierno electrónico a compras estatales», [En ligne]. <http://www.iadb.org/NEWS/Display/PRView.cfm?PR_Num=31/02&Language=Spanish>.

10. Voir le «Global E-Government Readiness Report 2005» de l'ONU.

La popularité de ce nouveau concept trouve également écho auprès d'autres acteurs de la sphère du développement, qui lancent depuis quelques années des programmes centrés sur l'«e-gouvernance». Mais que signifie au juste ce nouveau concept? Pour l'Unesco, par exemple[11], l'«e-gouvernance» est «l'utilisation par le secteur public des technologies de l'information et de la communication dans le but d'améliorer la livraison de l'information et le service, d'encourager la participation des citoyens au processus de décision et de rendre le gouvernement plus responsable, transparent et efficace». Nous retrouvons ainsi un regroupement cohérent des termes évoqués sur les sites des gouvernements latino-américains mentionnés plus haut, autour d'un concept fédérateur: l'e-gouvernance.

Ceux qui défendent cette approche voient dans les NTIC un moyen d'atteindre les mêmes objectifs: «la réduction des délais et des coûts des procédures bureaucratiques; l'amélioration de l'organisation des procédures internes des gouvernements; des meilleures informations et un meilleur service de leur part; l'accroissement de la transparence du gouvernement pour réduire la corruption et renforcer la crédibilité politique et la responsabilité; ou encore la promotion des pratiques démocratiques en facilitant la participation et la consultation du public[12]».

La focalisation sur les NTIC comme facteur déterminant de développement, de réforme de l'État et d'essor d'une «nouvelle gouvernance» n'est donc pas uniquement le fait des gouvernements sud-américains. L'«e-gouvernance» s'apparente ainsi à un *buzzword*, pour reprendre l'expression d'Yves Dezalay et Brian G. Garth[13], qui sert d'interface «théorique» entre gouvernements et organisations supranationales pour s'accorder sur l'urgence de l'«agenda politique» de ces pays[14].

Pour autant, la problématique de l'«e-gouvernance» n'est pas réservée à la littérature grise des administrations, des institutions internationales ou, encore, des ONG et des agences de consulting invitées

11. Voir l'initiative de l'Unesco pour le renforcement des capacités pour l'e-gouvernance, [En ligne]. <www.unesco.org/webworld/e-governance>.
12. *Ibid.*
13. Y. Dezalay et B.G. Garth, *La mondialisation des guerres de palais. La restructuration du pouvoir d'État en Amérique latine, entre notables du droit et «Chicago Boys»*, Paris, Seuil, 2002 (publié initialement sous le titre The Internationalisation of Palace Wars, The University of Chicago Press, 2002), p. 296.
14. En témoigne le titre d'un rapport de l'OCDE sur la question: *The E-government Imperative*, OCDE, 2003.

aux colloques sur le développement. L'« e-gouvernance » mobilise également les universités et les instituts de recherche en sciences sociales. Il s'agit d'une question particulièrement urgente pour l'Université des Andes, en Colombie[15]. Au-delà de cette collaboration directe entre un gouvernement et une université, savoir dans quelle mesure l'introduction des NTIC permet le développement d'une nouvelle gouvernance devient un enjeu de recherche international. Cet enjeu reçoit en Amérique latine l'appui d'institutions aussi diverses que la BID, l'Unesco, l'OEA, l'ONU. Il trouve un écho particulier au FLACSO, institut de recherche présent dans de nombreux États et créé pour combiner la recherche en sciences sociales avec une application politique.

Quelle que soit la distance des chercheurs à l'égard des impératifs politiques, la problématique de l'e-gouvernance tend à surestimer le facteur technique comme élément déterminant du *réordonnancement* de la vie politique. Ces problématiques négligent, à propos d'une situation politique donnée, la détermination des acteurs concernés, la prise en compte de leurs intérêts éventuellement contradictoires et la proclamation de leurs revendications spécifiques.

BIBLIOGRAPHIE

Guía de gobierno electrónico local: servicios electrónicos orientados al ciudadano, Convenio Unesco, Universidad Externado de Colombia, Bogotá, Colombie, août 2005. [En ligne]. <http://www.uexternado.edu.co/noticias/pdf/e-gobierno.pdf>.

Guía de democracia electrónica local: e-participación en la formulación de políticas publicas, Convenio Unesco, Universidad Externado de Colombia, Bogotá, Colombie, août 2005. [En ligne]. <http://www.uexternado.edu.co/noticias/pdf/e-democracia.pdf>.

América Latina puntogob: casos y tendencias en gobierno electrónico, Susana Finquelievich, Mila Gascó, Ester Kaufman, Claudio Orrego Larraín, Ana María Raad, Katherine Reilly, Raúl Pacheco Vega, Francisco J. Proenza, FLACSO-Chile Organización de los Estados Americanos AICD, Santiago, Chili, avril 2004. <http://hasp.axesnet.com/contenido/documentos/Am%E9rica%20Latina%20Puntogob%20final.pdf>.

15. Voir le site de l'Université des Andes en Colombie, appelé « Congreso visible » (Congrès visible) : <www.cvisible.uniandes.edu.co>. Cette page Web donnerait aux Colombiens la possibilité de consulter et évaluer en permanence l'activité des députés et des sénateurs. Le but de tout cela étant de fournir aux citoyens une information pertinente et indépendante vis-à-vis du congrès de la république, pour une meilleure transparence. <http://cvisible.uniandes.edu.co/var/rw/CMS/queescongresovisible/>.

E-política y E-gobierno en América Latina, sous la direction de Susana Finquelievich, Links AC, Buenos Aires, août 2005. [En ligne]. <http://www.links.org.ar/infoteca/E-Gobierno-y-E-Politica-en-LATAM.pdf>.

Las TIC para la Gobernabilidad: La contribución de las Tecnologías de la Información y la Comunicación a la gobernabilidad local en América Latina, Carlos Batista, Unesco, Enero 2003. [En ligne]. <http://portal.unesco.org/ci/en/file_download.php/c46cff067eb194e45eae0c16c4194ba0 Batista_report_esp_final.pdf>.

Vedel, Thierry (2003).« L'idée de démocratie électronique: origines, visions, questions », dans *Le désenchantement démocratique*, Pascal Perrineau (dir.), La Tour d'Aigues, Éditions de l'Aube, p. 243-266.

Chatillon, Georges et Bertrand du Marais (2004). *E-goverment for the benefit of the Citizens*, Bruxelles, Bruylant, 2004.

Sites Web consultés

Voir par exemple l'initiative de l'Unesco pour le renforcement des capacités pour l'e-gouvernance: <www.unesco.org/webworld/e-governance>.

Bakary Faye, Chef des Services administratifs, Bibliothèque universitaire de Dakar, Sénégal, conseiller rural, Communauté rurale de Malicounda, « À propos des concepts e-gouvernance et e-gouvernement », 2003. [En ligne]. <http://www.cities-lyon.org/es/articles/239/french.html>.

Sources documentaires sur le gouvernement en ligne

<http://cvisible.uniandes.edu.co/share/user/index.php>.

International Telecommunication Union <www.itu.int>.

<http://www.softwarelivre.gov.br/diretrizes/>.

<http://www.elearningamericalatina.com/edicion/octubre1/it_2.php>.

<http://www.burkina-ntic.org/hist1.php3?id_article=418>.

<http://www.assemblee-nationale.fr/international/bresil.asp>.

Sites officiels des gouvernements en Amérique latine

Argentine: <http://www.gobiernoelectronico.ar>.

Bélize: <http://www.belize.gov.bz/>.

Bolivie: <http://www.bolivia.gov.bo/>.

Brésil: <www.brasil.gov.br>.

Chili: <http://www.gobiernodechile.cl>.

Colombie: <http://www.gobiernoenlinea.gov.co>.

Costa Rica: <http://www.casapres.go.cr/>.

Cuba: <http://www.cubagob.cu/>.

Dominicaine (république): <http://www.presidencia.gov.do>.

Équateur: <http://www.presidencia.gov.ec/>.

Guatemala : <http://www.guatemala.gob.gt/>.
Honduras : <www.casapresidencial.hn>.
Jamaïque : <http://www.cabinet.gov.jm/>.
Mexique : <http://www.presidencia.gob.mx/>.
Nicaragua : <http://www.presidencia.gob.ni/>.
Panama : <http://www.pa/gobierno>.
Paraguay : <http://www.presidencia.gov.py/>.
Pérou : <http://www.peru.gob.pe/>.
Salvador : <http://www.casapres.gob.sv/>.
Uruguay : <http://www.presidencia.gub.uy/>.
Venezuela : <http://www.gobiernoenlinea.gob.ve/>.

CHAPITRE

4

ENVIRONNEMENT ET COMMUNICATION

Anne-Marie Laulan

La fin des grandes idéologies du XXe siècle rend caducs certains concepts, généreux en apparence mais dépourvus de toute efficacité pratique. C'est ainsi que se proclame, sous nos yeux, à l'occasion du Millénaire, la nécessité de « repenser le développement » selon la formule d'Ignacy Sachs (expert à l'Unesco), comme le revendiquent les chercheurs de l'IRD sous l'impulsion d'Émile Le Bris[1].

Le champ « scientifique » de l'environnement est particulièrement éclairant de cette réorientation. En effet, si la pauvreté, le retard économique, le déficit démocratique pouvaient jusqu'à présent être « localisés » et « contenus » dans la notion vague de *pays moins avancés* (PMA), expression moins péjorative que « *sous-développés* », les problèmes majeurs et immédiats des menaces sur l'environnement font exploser le schéma bien connu de centre/périphéries de premier monde, deuxième monde ou tiers-monde. Le quart-monde se rencontre aux portes de toutes les mégapoles, la pollution sévit partout, les catastrophes climatiques n'épargnent ni les États-Unis ni le Japon. Il n'existe aucune « bulle » pour échapper à l'effet de serre ; sur le plan conceptuel, on assiste donc à une authentique mondialisation de l'interrogation scientifique, laissant à l'arrière-plan la traditionnelle condescendance des nations riches envers les populations moins favorisées ou les analyses en termes de retard, fracture, décalage. Gigantesque effet boomerang de voir les régions les plus avancées industriellement et technologiquement devenir les plus menacées ; de leur propre fait, les sociétés humaines sont directement responsables du réchauffement de la planète, de la pollution, de la pénurie énergétique, de la raréfaction de l'eau, de la déforestation.

4.1. UNE COMMUNICATION SEMÉE D'OBSTACLES

Le sommet de Rio (1992) avait bien lancé un premier cri d'alarme, au niveau institutionnel (les États) et scientifique (grands programmes internationaux), qui avait conduit à l'Agenda 21. Mais déjà, dans cette sphère relativement étroite, sont apparues de fortes divergences entre les pays riches (particulièrement les États-Unis) et d'autres moins nantis (Argentine, par exemple) de qui l'on exigeait de renoncer à l'exploitation et à l'exploration de certaines ressources naturelles, sans contrepartie naturellement. Il a fallu de très fortes pressions de la communauté internationale pour que le récent sommet de Tokyo obtienne enfin la ratification par le pays le plus puissant des dispositions et réglemen-

1. Institut de recherche sur le développement, autrefois nommé ORSTOM, grand établissement de recherche public français.

tations internationales en ce domaine. La communication sur l'environnement rencontre donc des obstacles inédits à ce jour et oblige à repenser les dispositifs traditionnels de circulation de l'information. Challenge conceptuel, défi démocratique, enjeu vital pour la survie de l'humanité. En quoi la communication en ce domaine peut-elle apporter une mise en pratique efficace des investigations scientifiques et des directives gouvernementales ?

Pour mieux répondre, explicitons rapidement la nature et la taille des obstacles des principaux obstacles repérables :

- premier obstacle : la divergence des intérêts économiques ;
- deuxième obstacle : la différence de perception du temps, court ou long, entre scientifiques et industriels ;
- troisième obstacle : l'ambiguïté des motivations politiques des militants, décideurs, passeurs.

4.2. LA DIVERGENCE DES INTÉRÊTS

La divergence des intérêts s'observe partout dans le monde. Pour l'eau et les zones humides (les salins en Camargue, le marais poitevin en France), pour les barrages au Québec et en Inde, notamment, mais aussi au Mexique à l'égard des organismes génétiquement modifiés qui modifient en profondeur les façons culturales, les rendements, tout en coûtant beaucoup plus cher aux paysans pour l'achat des semences. Dans ces mêmes pays gronde une révolte au sujet des brevets pharmaceutiques déposés à partir du savoir indigène en phytothérapie, avec la conséquence pour les populations de ne plus pouvoir se soigner avec les plantes de leur habitat naturel.

Ces formes modernes d'exploitation abusive font désormais l'objet d'une prise de conscience au niveau international ; l'Unesco a réussi à faire adopter des conventions sur la conservation des espèces, sur la protection du patrimoine génétique. Le concept de « diversité économique » concernant l'environnement est d'autant plus important que le nombre des acteurs va croissant, que l'information largement relayée par les différents médias ne peut plus être négligée. Les sommes d'argent récoltées après le tsunami de Noël 2004 ont dépassé les besoins immédiats, mais le séisme aux confins du Pakistan et du Cachemire, à l'automne 2005, n'a guère ému ni l'opinion publique ni les autorités occidentales. Silence et inertie troublante des autorités fédérales également lors des inondations en Louisiane, mais grandes précautions à l'annonce d'un typhon susceptible de menacer les installations pétrolières du Texas et de la Floride, quelques semaines plus tard.

L'environnement n'est pas un concept «inerte», un milieu ou un décor. C'est un objet scientifique en construction perpétuelle : objet de gestion, porteur d'enjeux techniques et économiques, marque du pouvoir politique qui prescrit, impose, parfois refuse. Rien d'étonnant à le trouver au centre de l'activité communicationnelle, foisonnante dans ses formes médiatiques, dans les postures des acteurs, dans les soudaines résurgences d'activisme politique...

La sollicitude médiatique dissimule souvent des intentions moins pures qu'il n'y paraîtrait. Faut-il rappeler que plusieurs pays touchés par le tsunami ont refusé toute aide internationale, notamment l'Inde ? En effet, d'une façon plus générale, les accords commerciaux comme les aides ou subventions sont vus par les dirigeants du Sud comme un moyen dissimulé de perpétuer (ou de réimplanter) la domination technologique et industrielle exercée par les pays du Nord. À l'Unesco, la Convention sur la protection de l'expression culturelle (votée en novembre 2005) élargit, au nom du principe de solidarité, la protection de la «propriété intellectuelle» aux domaines de l'agriculture, des médicaments génériques, des savoirs endogènes. Le Sommet mondial sur la société de l'information (SMSI), dans sa phase de Tunis (novembre 2005), prend lui aussi en compte la nécessité d'une régulation internationale au-dessus des affrontements de la libre concurrence ; les objectifs sont définis, mais l'agenda reste à remplir.

S'interroger sur le développement durable, c'est prendre constamment garde aux risques de détournement ou de dévoiement d'entente illicites que suscitent presque toutes les initiatives en ce domaine.

4.3. LA NOUVELLE ÉTHIQUE DES ENTREPRISES ?

Dans le domaine moins connu de l'éthique, qui relève du secret de mise dans les grands établissements bancaires ou financiers, on note l'attitude ambiguë face aux directives internationales ou gouvernementales concernant l'environnement. Le principe appelé «développement durable» naît en 1980 ; il introduit la prise en compte des facteurs environnementaux, éthiques, sociaux et économiques à un niveau mondial. De fait, les investisseurs institutionnels ou privés privilégient de plus en plus les groupes ayant adopté des stratégies visibles de développement durable. Entrent désormais en ligne de compte dans l'évaluation (financière) d'un groupe la notoriété, l'image, la réputation, l'éthique, le respect de la protection de l'environnement. Les fonds communs de placement, les investissements de certaines congrégations religieuses ou de groupes de la société civile se tournent désormais vers l'affectation au développement durable. L'industrie du tourisme s'oriente également vers « un tourisme responsable, solidaire, éthique[2] », ce qui englobe à la fois l'engagement contractuel des parcs nationaux et des réactions contre le tourisme sexuel en Thaïlande, accompagnées de mesures de protection et de réinsertion des mineures. Reste à savoir si ces choix d'entreprises ne sont qu'un leurre pour augmenter les rentes des actionnaires ou si se dégageront réellement des bénéfices pour le personnel et la *société civile* dans son ensemble. L'examen attentif des choix opérés par les entreprises polluantes suscite un fort doute sur l'application des nobles directives citées plus haut. Nombre de ces entreprises préfèrent en effet provisionner des fonds pour payer les amendes (en utilisant toutes les mesures dilatoires que permet la législation) plutôt que de pallier les défaillances structurelles et fonctionnelles responsables de cette pollution. Les dispositions du législateur, en ce domaine comme en tant d'autres, font l'objet d'atermoiements ou de détournements et induisent parfois des effets indirects désastreux. De même, on est en droit de se demander si la publicisation, par des entreprises comme Renault ou Danone, de rapports « certifiés », destinés à crédibiliser le discours de l'entreprise, ne contribue pas plutôt à jeter le doute au sein de la société civile.

C'est ici qu'intervient un autre obstacle à la communication, à savoir la difficulté d'anticipation et de programmation. Il n'est pas aisé de partager les savoirs, en dépit des espoirs formulés au plus haut niveau des instances internationales.

Le rapport romantique à la nature caractérise les philosophies occidentales, mais ne rencontre pas d'écho dans les populations autochtones, celles qui labourent, défrichent, pêchent, dénichent... À l'heure actuelle, au nom de la protection d'espaces vierges inviolables, certains voudraient interdire aux Inuits de tuer des phoques (indispensables à leur nourriture), alors que depuis des siècles ils ont su trouver d'eux-mêmes les quotas respectant les équilibres. Il en va de même en

2. Un secrétaire d'État après les attentats du 11 septembre 2001, cité par Michèle Gabay : « Crise, communication et développement durable », dans *Cahiers Espaces*, n° 73, 2002.

Mauritanie, où l'instauration internationale du parc naturel du banc d'Arguin condamne à l'exil le peuple des Imraguen, installés sur cette côte depuis deux millénaires[3].

4.4. LA PERCEPTION DIFFÉRENTE DU TEMPS

Elle est connue entre les politiques et les chercheurs, entre les industriels et les inventeurs. Elle est plus grave encore, véritable obstacle à la communication, lorsqu'il s'agit de «développer» peuples ou territoires considérés comme «attardés». Dès les années 1960, les développeurs commettaient les erreurs communicationnelles de méconnaissance sur les valeurs d'urgence, de crise, de mise en pratique, sans même évoquer le préalable des rites sociaux et religieux à accomplir. Les échecs répétés et durables des politiques de développement depuis près de quarante ans sont connus de tous et dénoncés. Mais comment comprendre corrélativement le développement imprévu de pays très peuplés, jusqu'ici méprisés par le monde scientifique et économique, tels l'Inde, la Chine, le Brésil? Sans doute faut-il y voir un redoutable déficit de communication dû à l'incapacité à comprendre l'Autre dans sa spécificité.

Certes, de nombreuses ONG, installées à proximité des villages, cherchant à préserver tout en modernisant, ont proliféré depuis quarante ans. De fait, leur statut «reproduit» celui, plus ancien, des missionnaires, liés eux-mêmes aux colonisateurs, parfois esclavagistes, toujours courtiers (*brokers*). Rappelons l'ambiguïté du «comportement à double face»: pourvoyeurs de crédits, concepteurs de projets, mais en même temps militants autoproclamés pour le respect des diversités culturelles, représentants des populations locales, émanation de la société civile… Bien trop souvent ces *médiateurs* se prennent pour des avocats, mais se conduisent comme des usurpateurs.

La passivité et la naïveté des populations concernées semblent bien parvenues au terme du tolérable. Au Mexique, par exemple, on observe une politisation aiguë du débat sur les savoirs indigènes; il n'est plus admis que des «experts» étrangers, fussent-ils anthropologues, viennent décrire, puis prescrire de nouvelles règles de conduite concernant les territoires, les pâturages, la forestation. D'ailleurs, bien souvent, ces «experts» ont une connaissance abstraite et générale des problèmes; ils obéissent à de grands principes scientifiques inapplicables, du fait de

3. Voir *Construire les gouvernances*, en particulier le chapitre «Peut-on aménager sans détruire?» où A.-M. Laulan relate les conflits liés à l'eau, à la pêche, aux parcs naturels, toujours au nom de la protection de la nature.

leur méconnaissance de la complexité, du contexte historique et social. Le renouveau de l'activisme militant et du combat pour une politique locale de l'environnement ne peut plus être ignoré[4]. Il se construit silencieusement, grâce à des réseaux très dynamiques , utilisant l'Internet. On se souvient que les zapatistes avaient très tôt tiré le meilleur parti de cet outil de communication, tout comme certaines minorités du Québec. Les conflits d'intérêts sur l'environnement, sur le développement de façon plus générale, se déroulent de façon moins inégale qu'autrefois grâce à un accès plus facile à plusieurs sources d'information ainsi qu'aux possibilités améliorées de s'exprimer dans l'espace public[5].

4.5. PERSPECTIVES

Les menaces sur l'environnement concernent, immédiatement, l'ensemble de l'humanité. Elles sont, au sens propre, mondiales. Nous avons évoqué les errements du passé, sous forme d'injonctions en provenance de pays dominants économiquement et politiquement, suscitant des résistances ou des révoltes. Nous avons souligné l'ambiguïté des positions entrepreneuriales qui prônent le recours à des annonces communicationnelles manipulatoires pour mieux accroître les profits. Nous avons signalé, dans la proche actualité, la montée en puissance des interrogations dans un espace public nouveau, favorisée par l'utilisation des réseaux du Web. De nos jours, la communication institutionnelle traditionnelle des grandes institutions, verticale et descendante, se double, malgré elle, d'un relais médiatique moins contrôlé (tous médias confondus), des formes toujours d'actualité d'information participative et de la généralisation des forums de discussion sur Internet.

À titre d'illustration, sinon de preuve, reprenons les conclusions d'un rapport commandé en France par le ministère de l'Écologie et du Développement durable, remis en 2005, sur la place des NTIC dans l'appropriation et le débat sur l'environnement. La convergence sur l'objet environnemental n'exclut pas, au contraire, divergences et même polyphonie des discours et des traitements de cet objet : « Le militantisme environnemental nous semble être en partie un militantisme informationnel,

4. Voir *Le Monde diplomatique* de février 2006, qui consacre plusieurs pages à l'Amérique latine, sous le grand thème « Résistances et intégrations».

5. Voir les articles de l'anthropologue Marie Rouet, dans l'excellent numéro de la *Revue internationale de Sciences sociales*, n° 178, décembre 2003, consacré au thème «Les ONG et la gouvernance de la biodiversité» (Éditions Unesco).

un militantisme de l'information agissante, un militantisme d'auteur[6].» Le modèle diffusionniste semble devenir caduc quand les citoyens de la planète prennent conscience du danger et veulent s'approprier le savoir (s'en emparer), de même que le faire-savoir et les décisions qui les accompagnent.

À propos de cet objet scientifique, se profile, peut-être, une forme pacifique de l'agir communicationnel.

6. Ministère de l'Écologie et du Développement durable, *La place des NTIC dans l'émergence, dans l'appropriation et dans le débat autour d'un objet environnemental : le cas des rejets polluants*. Document non publié. Remerciements à Nicole d'Almeida, coauteure, pour avoir communiqué ce texte.

CHAPITRE

5

DE L'USAGE DES MÉDIAS ALTERNATIFS POUR LE DÉVELOPPEMENT

Alain Kiyindou[1]

1. Alain Kiyindou est professeur, rattaché au CERIME, Université Robert-Schuman, Strasbourg.

Dans le cadre du rapport entre l'information et le développement, Walt Rostow[2] donnait à la communication le rôle de transférer l'innovation technologique dans les pays en voie de développement et de créer un climat favorable au changement au sein de leurs sociétés. L'approche de Rostow a beaucoup été combattue, parce qu'elle repose sur l'équation simpliste entre potentialité technique et émergence de nouvelles pratiques. Mais comment interpréter la relation complexe et dialectique qui existe entre technologie et changement social ?

La réponse consiste, à notre avis, à replacer l'innovation technologique dans son contexte social global, c'est-à-dire la mise en lumière de cette dimension sociale du développement. C'est ce qui ressort de notre analyse des médias de masse, étude qui les associe, d'ailleurs, aux usages suscités par leur intégration aux NTIC.

Bien entendu, si nous voulons aborder la question du rôle des médias dans le développement, il nous paraît primordial de nous situer dans la problématique du développement, saisi ici comme « un processus qui permet aux êtres humains de développer leur personnalité, de prendre confiance en eux-mêmes et de mener une existence digne et épanouie...[3] ». D'évidence, le développement est un processus global qui intègre aussi bien les aspects politiques, économiques, sociaux que culturels d'une société, ce qui nous amène à réduire la prétendue toute-puissance des médias.

5.1. L'ÉVOLUTION DE L'USAGE DES MÉDIAS

Sur un plan purement historique, nous pouvons faire remonter l'usage des médias pour le développement à la troisième révolution industrielle, celle des années 1930, marquée notamment par le développement aux États-Unis de l'électronique et de l'informatique[4]. Dans les pays du tiers-monde, il faudra attendre les années 1960 pour que les gouvernements se lancent ouvertement dans la vulgarisation des connaissances. Avec la mondialisation[5], les acteurs publics aussi bien nationaux qu'internatio-

2. Walt Whitman Rostow, *Les étapes de la croissance*, Paris, Economica, 1997, 305 p.
3. Commission Sud, *Défis au Sud*, Paris, Economica 1990, p. 10.
4. En France, c'est *Foyer rural*, lancé en 1936, qui affirmera l'engagement des médias dans la transmission de l'information scientifique aux populations rurales.
5. Plus de 12000 participants recensés à Genève et plus de 20000 à Tunis.

naux, de même que ceux de la société civile[6], se penchent lors du SMSI sur le rôle[7] des nouveaux outils comme accélérateurs du développement durable[8]. Mais si ces différents acteurs posent le rapport technologie et développement comme allant de soi[9], il convient, dans le cadre de la recherche, de se méfier des fausses évidences.

5.2. LES MÉDIAS DE MASSE AU SERVICE DU DÉVELOPPEMENT

À côté des médias légers, deux moyens d'information vont marquer l'histoire de la diffusion des savoirs et savoir-faire pour le développement; tout d'abord, la radio avec la multiplication des radio-clubs dans les zones rurales, puis la télévision éducative. Mais comment expliquer le succès de la radio et celui plus relatif de la télévision dans la communication pour le développement ?

5.2.1. DE LA RADIO RURALE AU RADIO-SURF

Les expériences de radio rurale menées dans les années 1960, sous la houlette de l'Unesco et de la FAO (Food and Agriculture Organization of the United Nations) nous permettent de comprendre le succès de ce moyen par la mise en place des tribunes radiophoniques, c'est-à-dire des systèmes de groupe de discussion organisés pour l'écoute d'émissions

6. La société civile peut être définie comme un ensemble regroupant des acteurs sociaux non étatiques, du secteur non marchand. Son existence est, à côté de celle de l'État de droit, de l'action de médias de masse et des moyens de communication, une condition pour l'existence de l'espace public à l'intérieur d'une société.
7. Le sommet, à travers ses deux phases, a abouti à l'adoption d'une *Déclaration de principes* et d'un *Plan d'action* (phase de Genève), d'un engagement intitulé *Engagement de Tunis pour la société de l'information* et d'un *Agenda* (phase de Tunis). Ces différents documents officiels, auxquels il faut ajouter les déclarations de la société civile (Genève et Tunis), accordent une place importante au développement.
8. C'est en 1983 que la Commission des Nations Unies pour l'environnement et le développement (CNUED), ou commission Brundtland, introduisit la notion de développement durable défini comme «un processus de transformation dans lequel l'exploitation des ressources, la direction des investissements, l'orientation des techniques et les changements institutionnels se font de manière harmonieuse et renforcent le potentiel présent et à venir permettant de mieux répondre aux besoins et aspirations de l'humanité».
9. Une croyance entretenue notamment par le Programme des Nations Unies pour l'environnement (PNUD) (rapport 1991) et l'Union internationale des télécommunications et qui apparaît sous le terme anglo-saxon de «*leapfrogging*» est que la diffusion des NTIC permettrait d'accélérer le processus de développement en aidant les pays à brûler les étapes.

rurales. Si, dans les pays en développement, les radio-clubs permettent avant tout de pallier le problème d'acquisition du poste radio, ils permettent aussi et surtout la réappropriation de la radio par les communautés concernées[10].

La radio présente aujourd'hui encore un avenir radieux, avec notamment l'avènement des nouvelles technologies de l'information et de la communication. L'un des fruits de l'association entre la radio et Internet est ce qu'on appelle le «radio-surf» sur Internet, c'est-à-dire un type de programme dans lequel les animateurs radio rassemblent des informations provenant de sites Web de référence, de CD ou d'autres ressources numériques afin de répondre aux interrogations des communautés locales. Durant l'émission, l'animateur assisté d'un expert local se sert d'Internet pour répondre aux questions posées par les auditeurs, apporter des explications et susciter un débat. Déjà utilisé au Sri Lanka, au Boutan, au Népal, au Bénin et ailleurs, le «radio-surf» donne aux auditeurs la possibilité de devenir des internautes à distance. L'intérêt de ce modèle réside dans le fait que la radio n'est pas seulement un moyen pour atteindre des audiences avec des informations glanées sur Internet, mais également un moyen de créer du contenu, de rassembler et de donner forme à des informations qui peuvent ensuite être diffusées par le biais des nouvelles technologies. Le «radio-surf» nous éloigne donc de la logique unidirectionnelle dans laquelle ont tendance à s'enfermer les médias pour un usage plus participatif, car en matière de communication pour le développement le problème est celui des besoins, c'est-à-dire des contenus et des usages nouveaux.

5.2.2. La télévision au service du développement

L'utilisation de la télévision dans des projets de développement et en particulier dans les domaines de l'éducation, de la santé et du développement communautaire est plus récente que celle de la radio. Comme la radio, la télévision offre la capacité d'atteindre un large public, alphabétisé ou non. Son principal avantage par rapport à la radio, c'est qu'elle permet la démonstration et la représentation, offrant ainsi la possibilité de sauter la barrière linguistique. Les différentes politiques de développement se sont appuyées sur cet outil, et les expériences les plus significatives sont celles relatives à la télévision éducative[11] et à la télévision

10. Alain Kiyindou, *Information et milieu rural au Congo. Le cas des régions du Pool et des Plateaux*, Lille, Septentrion, 1997, 538 p.
11. Le début de la télévision éducative remonte aux années 1930, puisque le premier programme de diffusion a été réalisé pour un auditoire limité d'étudiants à l'Université de l'Iowa entre 1932 et 1939.

communautaire[12]. Ces dernières années, les possibilités de la télévision se sont accrues avec l'arrivée des nouvelles formes de technologies. Le système de diffusion par satellite, par exemple, permet un rayonnement beaucoup plus large, tout en offrant des possibilités de communication avec des publics segmentés. L'expérience de télévision éducative par satellite effectuée par l'Inde (SITE) est à beaucoup d'égards très intéressante. La production des programmes de télévision est décentralisée, puisqu'elle est confiée à quatre studios différents. Les six groupements de réception directe reçoivent à la fois des programmes réalisés spécialement pour chacun d'eux et des programmes communs. Les programmes élaborés ont donc intégré des objectifs pédagogiques précis du genre: améliorer l'aptitude à l'anticipation, au calcul, au langage, à la compréhension de la temporalité.

Nombre d'expériences impliquant les médias, dans la recherche du développement, relèvent d'une techno-logique[13], au sens où une logique techniciste (au lieu d'une logique sociale) guide la mise en place et l'usage des technologies. Comme si la seule présence des médias suffisait à faire accepter aux populations le modèle de développement qui leur est proposé! Or les expériences que nous venons de citer doivent leur succès, avant tout, au fait que, dès le départ, les promoteurs se sont intéressés aux besoins des hommes et au rôle qu'ils ont à jouer dans ce processus qui les concerne au premier chef[14]. Cette leçon du passé nous interpelle encore aujourd'hui au moment où s'édifie *la société de l'information*. Nous touchons ici à la question de la participation, de l'implication, mais aussi de la responsabilisation de ceux qui sont amenés à utiliser les nouveaux moyens de communication, puisque, au-delà de la technique et des hommes, la question de la communication pour le développement est avant tout celle du développement. Les performances des appareils de communication que nous attribuons à la puissance technologique s'expliquent plutôt par leur adéquation avec le modèle de développement et avec la proximité des contenus diffusés.

12. Le terme de télévision communautaire est utilisé pour qualifier des programmes spécialement conçus à l'adresse de communautés particulières, telles que les minorités et les groupes ethniques, ou d'autres groupes aux besoins ou aux intérêts spécifiques.
13. Victor Scardigli, *Le sens de la technique*, Paris, Presses universitaires de France, 1992, 275 p.
14. Voir Anne-Marie Laulan, *La résistance aux systèmes d'information*, Paris, Retz, 1985, 161 p.

LA FONDATION FRANCO-MEXICAINE POUR LA MÉDECINE[1]

Jorge-Armando Barriguete[2]

L'intérêt de la Fondation pour la télémédecine

En général, les propositions technologiques en télémédecine améliorent les investigations sous une forme plus supportable, rendent la chirurgie moins invasive pour le patient, l'examen clinique plus dynamique. Les audioconférences[3] permettent des prouesses de collaboration d'experts médicaux à distance[4] (d'où les recherches financées par l'armée pour les soldats, les marines et en prévision de conflits).

Mais comment, au Mexique[5], décrire la rupture de continuité entre ceux qui détiennent la possibilité économique d'accéder à l'information qui circule sur le Web et les autres ? À cela, plusieurs raisons : la situation socioéconomique, les distances énormes d'un pays de deux millions de kilomètres carrés, où quatre jours seront nécessaires pour aller d'un bout à l'autre de cet État. Les TIC représentent une chance sans équivalent de développement et de participation de la société civile[6]. Le programme de « e-Mexique », avec une section de médecine et de « e-santé », connaît une progression intéressante et représentera une solution alternative pour affaiblir le barrage économique au développement[7].

1. Mots clés : TIC, télémédecine, Fondation franco-mexicaine, développement, société civile.
2. Président et directeur de l'Observatoire pour la médecine de la Fondation franco-mexicaine pour la médecine IAP. Institutó Nacional Ciencias Médicas y Nutrición SZ. Mexique, barriguete@quetzal.innsz.mx.
3. M. BOTBOL et J.-Armando BARRIGUETE, « Pédopsychiatrie international », *La Lettre de Psychiatrie française*, nº 74, avril 1998.
4. M. BOTBOL et J.-Armando BARRIGUETE, « La formation continue à distance : une nouvelle chance pour la psychiatrie du sujet », *Psychiatrie française*, vol. XXXI, 1/00, mars 2000, p. 133-143.
5. J.-Armando BARRIGUETE, « Enseignement à distance et numérisation », Lecture de textes en français. Clés pour le retour de la médecine francaise au Mexique et en Amérique latine, *Epistula Alass*, sept. 2001, nº 43, p. 63.
6. J.-Armando BARRIGUETE, Multimedia « En el Amanecer de la Vida », *Interface. Ciencia y Tecnología de Francia*, 61, mars 1998, p. 5.
7. M. BOTBOL et J.-Armando BARRIGUETE, « Formation à distance à la santé mentale », *Perspectives psychiatriques*, vol. 43, nº 1 (supplément) janvier-mars 2004, p. 62-65.

La participation de la population constitue une ressource prioritaire, avec la prise en compte constante de « réseaux inclusifs » : actions, initiatives, projets, lieux de rencontre sont trop souvent réduits dans les dispositifs actuels à seulement offrir un lieu, une assistance, sans permettre une participation active au développement.

Nous présentons le cas d'une fondation (créée en vertu de la loi 1901), qui rassemble des médecins, l'Ambassade, le secteur public avec les instituts nationaux de santé, l'UNAM, l'UMVF, l'AUF, le MILDT, et le secteur privé avec les fondations, l'industrie pharmaceutique, celle des communications, tous insérés dans ces communautés vouées aux enfants, jeunes, femmes, indigènes, immigrés... Le savoir médical et tous les autres savoirs s'enrichissent au contact de ces populations nombreuses, contribuent pour le Mexique d'aujourd'hui à inclure la participation dans le processus du développement.

Le développement de programmes libres, en libre accès, est une condition de l'appropriation de ce savoir médical pour la santé. Il ne s'agit pas seulement d'apprendre, mais d'acquérir de nouvelles habitudes, de circuler sur de nouveaux chemins (comme ce fut le cas au XVe siècle avec l'imprimerie). La mise en commun des différentes formes de connaissance facilite cette importante mission.

Un nouvel espace de possibilités grâce aux TIC

L'attrait du puissant voisin du Nord et la contagion de la mentalité « *fast food* » entraîne chez les médecins mexicains un manque d'intérêt pour le débat, la civilisation, la culture, française en particulier, parce que nous sommes traditionnellement « polarisés » sur ce qui touche directement à la médecine.

La création d'un nouveau programme scientifique français, grâce au MAE, à la fin des années 1990, intitulé « La nouvelle médecine française », permet tout ensemble de la découvrir et de l'utiliser comme motivation d'apprendre la lecture de la langue française : « Lire en français ». Ce programme va permettre non seulement aux médecins latino-américains de lire en français, mais aussi de bénéficier des possibilités de navigation sur le Web français et d'envisager d'acquérir les contenus de la culture et de la civilisation françaises. C'est donc un nouveau port, grâce auquel nous pourrons mieux parcourir des espaces et élargir des échanges, des connaissances, fondamentaux pour la croissance et le développement de la médecine et la santé de la population mexicaine.

Nous avons élaboré un programme d'objectifs spécifiques, qui, grâce à Internet, en 30 leçons, permet une introduction à la médecine française actuelle, avec, en prime, la possibilité de découvrir une culture et une civilisation différentes des principes «*fast food*». L'expérience dans la coopération, acquise depuis bientôt quinze ans, nous montre également que cette utilisation des TIC ouvre de nouvelles modalités et innovations qu'un autre canal n'offrirait pas. Les médecins, et en particulier ceux qui travaillent avec les populations ayant des besoins particuliers, seront mieux informés et formés; ils profiteront d'une position supérieure dans la pratique professionnelle. De surcroît, avec leur propre appétit d'information, grâce à la diversité culturelle, ils découvriront d'autres espaces de débat et de réflexion.

Conclusion: Le respect des droits humains

De nos jours, nous considérons que l'information et la communication font partie des droits humains; assurément, la révolution digitale permet de vaincre les distances – pas seulement physiques –, et les médecins représentent un réseau sensible aux innovations et à l'utilisation des TIC, au bénéfice des populations démunies. En effet, nous assistons à une nouvelle «rupture épistémologique», au sens de Georges Bachelard.

L'appropriation des connaissances et savoirs médicaux par les TIC est un facteur de changement pour la société civile, non seulement pour le bénéfice de la santé, mais, bien au-delà des soins physiques, en raison des coûts économiques des pathologies sévères, préoccupation majeure des communautés à faibles ressources. Pour toutes les familles, pour la société mexicaine dans son ensemble, la «télémédecine» ainsi définie représente un atout majeur.

Historique de la FFMM IAP

1994. Audioconférence.

1995-2004. 70 audioconférences, 6 téléconférences euro-americanas, Diplôme universitaire en psychopathologie du nourrisson, Université Paris XIII, France, 78 élèves. Avec le Pr Serge Lebovici ; Ph. Mazet ; M.-R. Moro.

2004. Fondation créée en vertu de la loi 1901, pour la formation professionnelle des médecins, en particulier ceux qui s'intéressent aux populations démunies. Avec la coopération de l'Ambassade de France au Mexique et la participation des institutions publiques : les Institut National de santé (Nutrition, Santé publique, Hôpital général du Mexique, Fondation IMSS, Commission de la santé, Chambre des députés, l'UNAM), et privés. Et avec la coopération des institutions françaises : UVMF (A.C. Benhamou), AUF (D. Oillo), MILDT (D. Jayle), AP-HP.

2005. Bulletin *Enlaces Médicos Franco-Mexicanos*, trimestriel, thématique, Diabètes M ; Obésité et RCM ; HTA ; Cancer ; Dénutrition ; 8 000 exemplaires, 24 000 lecteurs dans tout le Mexique. Sanofi-Aventis ; Servier ; Pierre Fabre ; Danone ; Darier.

2006. Développement de l'Observatoire pour la médecine et les TIC. UNAM et AVANTEL.

L'AMBIGUÏTÉ DE LA COMMUNICATION DES ONG CARITATIVES

Sandra Rodriguez

À l'ère de l'émergence d'une société civile dite mondiale, alors que les échanges augmentent et que les informations foisonnent, les organisations non gouvernementales (ONG) de développement ont toujours plus de difficulté à sensibiliser le public au bien-fondé de la coopération internationale. Malgré les dons massifs effectués lors de grandes crises humanitaires, il semblerait que la charité populaire ne fonctionne que par coups de cœur imprévisibles, que le public saisisse mal les problématiques mondiales et qu'il soit difficile de renouveler les donateurs; un public dont bien des ONG dépendent pour survivre.

Ce phénomène a été qualifié par certains penseurs de *lassitude du public*. Pourtant, si les sondages expriment une baisse d'intérêt et de confiance envers les projets d'aide extérieure (OCDE, 2002), il semblerait qu'une tranche importante de la population s'intéresse plus que jamais aux alternatives solidaires : le commerce équitable, l'appui à l'accord de Kyoto, les luttes altermondialistes, la consommation responsable... Parmi les Canadiens, ce sont les 20-35 ans qui appuient le plus ces nouvelles solidarités; ces mêmes jeunes qui donnent peu, ou presque pas, aux ONG de développement (Canada, 2001). Comment interpréter ce paradoxe ? Doit-on y voir un problème de communication ? Le reflet d'une génération fragmentée ou individualiste ? Faut-il en déduire que les ONG n'ont pas suivi l'évolution du public ? Si elles récoltent à long terme la démobilisation et l'indifférence, c'est peut-être parce qu'elles ont pendant trop longtemps centré les messages sur les problèmes du tiers-monde plutôt que sur les résultats souhaités.

Les résultats d'une enquête (2004) révèlent un certain décalage entre ce que les émetteurs jugent intéressant ou acceptable pour le public et les attentes et les perceptions de ce dernier.

Pour les ONG interrogées, les publicités de collecte de fonds constituent une des seules façons de promouvoir leurs actions tout en se faisant connaître du public. Il s'agit d'un effort de communiquer qui elles sont, ce qu'elles font et, par là, d'engager la population à ce qu'elles définissent comme la coopération internationale. Or, comme leur nom l'indique, le but premier de ces publicités est également (et avant tout) de récolter des fonds. Il s'agit d'un objectif à court terme, fondé sur des principes caritatifs. Nombreuses sont les ONG qui ont choisi de faire appel à des arguments relevant de la compassion et du sentimentalisme pour réussir à attirer l'attention du public et à l'inciter à *ouvrir le portefeuille*.

Bien sûr, les domaines d'intervention et les approches des ONG sont divers. Toutefois, chacune des organisations interrogées estime que ce sont les publicités offrant des solutions simples et pratiques qui attirent le plus de revenus. Dès lors, en s'adaptant aux attentes qu'elles supposent à leurs destinataires, ces ONG adoptent une position contradictoire. Soulevant le manque de temps et d'argent nécessaires pour évaluer la portée de leurs pratiques de communication, elles se fient à la satisfaction d'une tranche vieillissante de donateurs actuels[1] pour déduire que ces techniques fonctionneront auprès de nouveaux publics, dont une population de jeunes adultes qu'elles prétendent, par ailleurs, mieux informés.

Pourtant, quand on va voir du côté de ces récepteurs, on observe que, si ces jeunes semblent effectivement plus intéressés aux projets de coopération internationale, ils ont néanmoins l'impression de connaître bien peu de choses sur les actions des ONG, leurs partenaires du Sud et les causes auxquelles ils s'attaquent. Un manque d'information qui nourrit les doutes qu'ils entretiennent sur la manière dont les dons seront utilisés. De plus, l'emploi d'images stéréotypées qu'ils disent recevoir des médias, y compris les publicités d'ONG, pousse ces répondants à interroger la crédibilité et les motivations réelles des organisations. Ceux-ci trouvent étonnant, voire choquant, que le Sud soit toujours présenté en situation de dépendance, alors que plusieurs ont voyagé ou qu'ils ont eu accès à des informations pouvant rendre compte de la multitude d'efforts déployés par des pays regorgeant de potentialités.

De la même manière, les facteurs qui affectent l'opinion publique varient dans le temps. Face au contexte actuel de la mondialisation, les formes de l'engagement solidaire sont amenées à évoluer. En effet, si la notion et les pratiques de développement international sont mises en doute par de nombreux membres d'ONG, chercheurs, universitaires ou autres, la question se pose aussi chez les gens ordinaires, éduqués ou pas, Occidentaux et membres des communautés du Sud. Bien conscients que l'aide internationale peut être plus nuisible qu'efficace si elle impose un modèle de développement qu'ils jugent « colonisateur », ces adultes de l'ère « Porto Alegre » préfèrent comprendre les causes des inégalités mondiales avant de s'y attaquer. La notion

1. Généralement plus habitués à la formule de collecte de fonds rendue populaire dans les années 1950-1960, qui consistait en l'achat « de petits Chinois ».

de solidarité privilégiée est alors associée à une reconnaissance des droits et des responsabilités de chacun plutôt qu'à un simple transfert d'argent et de savoir des pays riches vers les pays pauvres.

Aussi les jeunes interrogés disent-ils se mobiliser plus volontiers au nom de la justice que par charité. Ils préfèrent agir pour une cause qui leur donne l'impression de comprendre le rôle solidaire proposé, ce qui explique qu'ils soient plus intéressés par des publicités qui révèlent l'éthique d'un organisme plutôt que la gratitude des bénéficiaires. Que nos répondants soient originaires du Nord ou du Sud, l'essentiel est d'éliminer l'impression d'un « Nord surpuissant » et d'un « Sud reconnaissant » et de rappeler l'interdépendance des deux hémisphères. Comme le rappelle pertinemment un répondant : «Ces affiches montrent généralement une relation de donneur-receveur; une relation de dépendance. On ne dit pas que le Sud participe aussi au développement du Nord ! »

Pour changer cette perception, nos répondants mentionnent la pertinence des documents de fond, tels que les reportages ou les documentaires, qui leur permettent d'avoir une meilleure connaissance des réalités vécues par les gens du « Sud ». Ce qui porte à croire que, moyennant un message plus clair et une stratégie de communication plus nuancée, ces jeunes adultes pourraient constituer des alliés précieux dans le contexte d'une réforme et d'une amélioration des pratiques de coopération internationale, à condition d'être plus et mieux informés sur les enjeux planétaires à long terme.

En ce sens, notre enquête indique que les enjeux de la réception des publicités d'ONG sont plus importants que le prétendu risque de lassitude du public. Car, si le critère de la baisse des dons révèle effectivement la crise d'une certaine forme de l'engagement du public à la coopération internationale, elle peut aussi témoigner de l'évolution de cette dernière. Et si les ONG ne tiennent pas compte de cette réalité et qu'elles continuent d'employer un discours dont elles reconnaissent elles-mêmes les contradictions internes, tout porte à croire qu'elles risquent de ne plus être crédibles pour leur public du Nord, tout comme pour leurs partenaires du Sud. En effet, elles ne pourront plus réajuster leur discours à une réalité mondiale de plus en plus complexe et, surtout, de plus en plus médiatisée. Plus que jamais, les ONG doivent repenser leurs pratiques communicationnelles. Car comme le suggère si bien Anne Kaboré (1998) :

> On peut aussi avancer l'idée selon laquelle il n'y aurait pas une rupture de solidarité mais une *demande de solidarité*, pas une *perte de sens*, mais une *demande de sens*.

BIBLIOGRAPHIE

CANADA. CENTRE CANADIEN DE PHILANTHROPIE (2001). *Canadiens dévoués, Canadiens engagés : points saillants de l'enquête nationale de 2000 sur le don, le bénévolat et la participation*, Ottawa, Statisitique Canada, 89 p.

KABORÉ, Anne (1998). *Dire la solidarité*. Programme Acteurs solidaires, Centre de recherche sur le développement international (CRDI), Paris, mai, 23 p.

OCDE (2002). *Public Opinion Research, Global Education and Development Cooperation Reform*, sous la direction de Ida McDonnel, H.-B. Lecompte et L. Wegimont, Maastricht, Centre de développement Nord-Sud (novembre), 26 p.

RODRIGUEZ, Sandra (2004). *Lassitude du public ou contestation du discours ; l'effet boomerang des publicités d'ONG de développement*. Mémoire de maîtrise en communication, Montréal, Université du Québec à Montréal, 166 p.

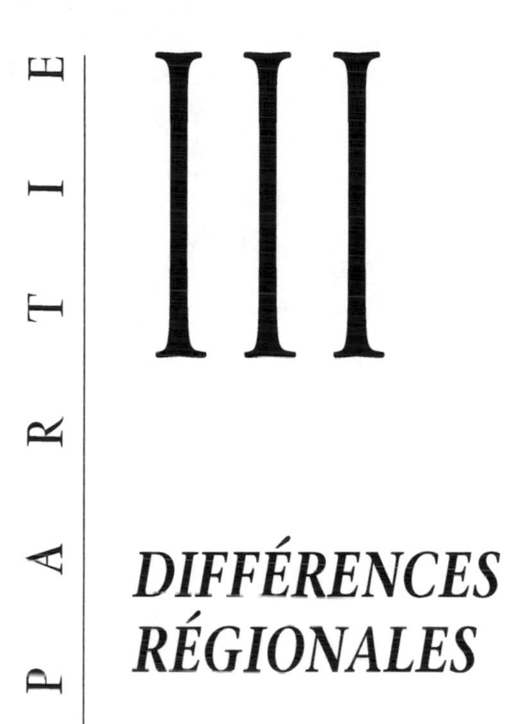

DIFFÉRENCES RÉGIONALES

CHAPITRE

6

VERS LE NOUVEAU DÉVELOPPEMENT

Le cas de la Chine et de l'Inde

Jiang Wang

Par bien des aspects, les modèles de développement de la Chine et de l'Inde sont apparentés. Il y a un demi-siècle, sous l'influence de l'Union soviétique en matière d'industrialisation, la Chine voulait compter sur ses propres forces et l'Inde adhérait aux principes d'autosuffisance; cependant, au cours des dernières deux décennies, ces deux pays les plus peuplés de la planète se sont voués à une ouverture économique au monde extérieur et ont procédé à un large éventail de réformes domestiques. Le produit intérieur brut (PIB) chinois a augmenté à un rythme annuel moyen de 8% et le PIB indien, de 6%. Ces deux mégamarchés pour une grande variété de produits et services ont attiré de nombreux exportateurs et investisseurs des pays développés. La Chine et l'Inde sont les nouvelles puissances économiques et leur importance ne cesse de croître, régionalement aussi bien que globalement.

De surcroît, l'Inde ressemble à la Chine avec ses immenses masses rurales et un développement rapide des villes. De très fortes disparités régionales s'ajoutent aux caractéristiques du développement connu dans ces deux pays. Cette situation problématique réclame notre attention; elle est caractérisée par la coexistence d'une très grande majorité de la population qui est pauvre et en chômage et, par ailleurs, des classes moyennes urbaines et des nouveaux riches qui se sont lancés dans la compétition au niveau mondial.

En termes économiques, les technologies de l'information et de la communication (TIC) sont une condition nécessaire mais pas suffisante pour le développement. Néanmoins, au cours de la décennie écoulée, les TIC ont incontestablement donné une nouvelle impulsion au développement. L'Asie-Pacifique est un exemple de région où s'est établi un lien solide entre TIC et développement, en nous offrant une multitude d'expérimentations et d'illustrations de différentes formes d'appropriation des TIC. En fait, la croissance du secteur de TIC a donné des résultats tangibles: 880000 nouveaux emplois se sont créés au cours des quatre dernières années et le secteur s'est accru de 195 milliards de dollars par an[1]. Dans le cas de l'Inde, sa croissance dans le secteur des services a été alimentée en grande partie par les TIC, notamment par la programmation et l'impartition de services, domaine dans lequel l'Inde est un chef de file mondial. Non seulement la Chine est devenue une usine mondiale où se fabriquent autant des articles grand public de qualité moyenne que des produits de haute technologie, mais elle est aussi un centre important de R-D.

1. Voir <http://www.bsa.org/idcstudy/pdfs/White_Paper.pdf>.

La rivière, la maison et l'arbre[2] nous rappellent trois approches du développement. D'abord, la métaphore de la rivière fait référence au marché, dont la croissance a sa propre logique. Ensuite, pour bâtir une maison, il faut un plan; le développement est ainsi un processus de construction, ce qui implique une réforme de politiques. Enfin, la métaphore de l'arbre renvoie à la nécessité de cultiver, c'est-à-dire au développement de capacités humaines. En fin de compte, le développement ne s'achèvera pas réellement sans l'enrichissement des connaissances qui conduit au changement des mentalités du gouvernement et de la population.

6.1. CHINE

Après son arrivée au pouvoir en 1978, Deng Xiaoping a abandonné le dogme marxiste. L'effondrement du communisme en l'Union soviétique et en Europe de l'Est a amené les leaders chinois à se repositionner. Ils ont reconnu que le véritable défi à relever n'était pas le changement politique, mais la croissance économique à grande vitesse.

En 1992, Deng a lancé une nouvelle campagne sur la réforme et l'ouverture économique. Son mot d'ordre, « Enrichissez-vous ! », a donné à entendre qu'on est libre d'employer n'importe quel moyen approprié et nécessaire pour devenir riche. La collectivisation de l'agriculture a laissé place à un système de responsabilisation individuelle des terres. L'enrichissement personnel est devenu un nouveau moteur économique.

Misant sur une main-d'œuvre bon marché, le gouvernement a également travaillé à attirer des capitaux étrangers : les zones économiques spéciales (ZES), exemptes de taxes, ont été créées à cet effet. L'augmentation des échanges avec l'extérieur, les exportations chinoises, les investissements massifs étrangers servent à renforcer le pouvoir du Parti communiste chinois.

Ainsi, de l'économie planifiée de type soviétique on est passé à une « économie socialiste de marché aux caractéristiques chinoises » ou, plutôt, à un mode capitaliste, comme les quatre petits « dragons » – la Corée du Sud, Singapour, Taiwan et Hong Kong – qui ont adopté essentiellement les stratégies de développement capitaliste.

2. P. Sayo, J.G. Chacko et G. Pradhan, *ICT Policies and e-Strategies in the Asia-Pacific*, New Delhi, Elsevier, 2004.

Dans un environnement de compétition à l'échelle nationale, régionale et mondiale, il y a effectivement un besoin d'apprendre et d'innover. Cette exigence d'apprentissage et d'innovation s'inscrit dans tous les domaines, du commercial au politique, du technologique au social; elle fait l'objet d'une attention particulière dans les pays dits émergents ou en transition, dont la Chine.

Les quinze années (1986-2001) de négociations qui ont conduit à l'adhésion de la Chine à l'Organisation mondiale du commerce (OMC) se sont révélées un processus d'apprentissage nécessaire pour les dirigeants du pays, qui ont ainsi acquis une meilleure compréhension de la dynamique du marché et souscrit à des politiques de plus en plus orientées vers le marché. Le chef négociateur chinois, Long Yongtu, nous raconte ici ce long cheminement parsemé de débats entre progressisme modéré et conservatisme strict:

> *If, at the beginning, we had easily joined the organization, perhaps the significance of reform and opening up would not have been so important as it is today and its influence on the entire society would not have been so far-reaching as it is. Over the past 15 years, our marketization and modernization process has taken a giant step forward, and many profound changes have taken place in our old concept, we have got a better understanding of common international practices. The process of WTO entry negotiation has given a strong impetus to a farewell to China's planned economy system and to thoroughly doing away with the closed-door policy, along with the negotiation, China's reform and opening process is not decelerated, but rather is accelerated, during structural reform, we have evolved a new idea about market orientation, and during opening to the outside world, we have absorbed many internationally advanced civilization achievements, that's why I think the negotiation on WTO entry reflects, from one important aspect, the course of China's reform and opening endeavor*[3].

Au lieu de garder la même attitude, estimant qu'il n'est pas comparable aux autres secteurs d'activité, le gouvernement chinois a pris conscience de la nécessité d'augmenter son efficacité, son rendement et sa performance, de transformer son image bureaucratique à des pratiques plus efficaces accompagnées par une professionnalisation des techniques de gestion. D'après Michel Foucault, un aspect significatif en ce qui concerne le développement du gouvernement moderne est l'introduction de l'économie comme l'objectif principal des pratiques politiques. L'« *e-government* » est une démarche qui s'appuie sur Internet afin d'augmenter la productivité et l'efficacité administrative.

3. « Interview: Long Yongtu on China's WTO Entry », *People's Daily*, 12 novembre 2001.

Alvin Toffler (1980) a prédit dans son ouvrage intitulé *The Third Wave* (une lecture obligatoire au sein du Bureau politique du Comité central) que certains pays en voie de développement n'auraient pas nécessairement à répéter le processus de développement connu chez les pays industrialisés. Par contre, ceux-là pourraient rivaliser avec ceux-ci par la voie qui débouche sur l'économie de l'information.

Depuis le 9e plan quinquennal (1996-2000), l'industrie de l'information est reconnue comme l'élément central du développement économique et social de la Chine. Le 10e plan quinquennal (2001-2005) vise à promouvoir globalement le progrès économique et social et à améliorer sensiblement le niveau de vie de la population. Dans cette optique, le gouvernement accélère la construction des infrastructures d'information et le développement du secteur de la TIC. Afin d'atteindre l'objectif d'« informatisation nationale » fixé pour 2015, un certain nombre de « projets d'or » ont été lancés de manière à accroître les capacités électroniques du gouvernement, des entreprises et des ménages. Nous ne mentionnerons que quelques faits saillants à cet égard. Ainsi, le nombre d'internautes est passé de 62000 en 1997 à 111 millions en 2005, soit une croissance en chiffres absolus de 1 790 fois[4]. De plus, en 2005, 96,1% des ministères chinois et 94,9% des gouvernements locaux ont construit leurs sites Web[5].

En utilisant Internet, le gouvernement chinois est confronté au risque d'une fuite d'information et d'une fragmentation de son pouvoir. En effet, Internet a la capacité d'enclencher une libre circulation des informations et une communication horizontale et bidirectionnelle, alors que les pays autoritaires cherchent à garder la souveraineté sur les communications et sur la diffusion des informations. Or la complexité des rapports de force économique, politique et sociale incite le gouvernement chinois à recourir aux différentes stratégies. Il contrôle Internet sous prétexte de mettre les usagers-citoyens à l'abri de différentes sources de « pollution ». Pour ne citer qu'un exemple : une étude de la Harvard Law School montre que, durant la période allant de mai à novembre 2002, 50000 des 204012 sites Web investigués étaient inaccessibles de la Chine, dont une grande partie touchait aux problèmes de démocratie, de *Falun Gong*, de Taiwan et du Tibet[6]. En plus, le gouvernement demande aux fournisseurs de services d'Internet de donner

---

4. Depuis octobre 1997, le Centre d'information sur le réseau Internet de Chine (CNNIC) publie une étude semestrielle sur le développement d'Internet en Chine. Voir <http://www.cnnic.net.cn>.
5. Voir <http://www.ccidconsulting.com/2005govtop/right_03_02.shtml>.
6. Voir <http://cyber.law.harvard.edu/filtering/china>.

leur engagement d'autocensure. Là, Internet est devenu un instrument disciplinaire, visant l'intériorisation d'une surveillance omnisciente. Devant un immense marché chinois et l'attrait du profit, des entreprises occidentales sont devenues complices du gouvernement chinois pour bâtir la grande muraille des ondes qui sert à bloquer des sites d'information sur les sujets politiques et sociaux les plus sensibles.

Depuis les années 1990, sur Internet, coexistent des tendances modernes de gouvernance et des formes traditionnelles du pouvoir. Il y a là une perspective de nouvelles pratiques politiques, de nouvelles relations entre les citoyens et le pouvoir. D'après Michel Foucault, le pouvoir n'est pas un système fixe et fermé, mais plutôt un jeu stratégique ouvert et sans fin. Internet met à l'épreuve la gouvernance.

Évidemment, par rapport à son développement économique, les progrès politiques de la Chine accusent un grand retard. Or l'approche graduelle et expérimentale, nommée par Deng Xiaoping: «traverser la rivière en tâtant les pierres», a donné les possibilités de corriger et de perfectionner les politiques au fur et à mesure de la réforme. L'art de gouverner montre comment les mentalités du gouvernement évoluent.

Par comparaison avec l'Inde, la Chine a investi davantage dans l'éducation. Les dirigeants chinois ont conscience de ce que l'éducation est un préalable à la modernisation du pays. En 1986, la Chine a introduit la *Loi de la République populaire de Chine sur l'éducation obligatoire*. Ainsi, les enfants doivent obligatoirement fréquenter l'école primaire (pendant six ans) et l'école secondaire (pendant trois ans). Lancé dans le cadre du 9e plan quinquennal, le «Projet 211» vise à renforcer l'éducation supérieure et à revitaliser la Chine au moyen de la science et de l'éducation en créant jusqu'à 100 universités de classe mondiale dans des disciplines clés. Par ailleurs, le «Programme 985» a été mis en œuvre dans le but d'implanter des universités orientées vers la recherche de classe mondiale. De tout temps, les Chinois ont eu la ferme conviction que seule l'éducation pouvait leur permettre d'améliorer leur sort.

6.2. INDE

Malgré un manque de ressources naturelles, l'Inde est riche en ressources humaines. Les établissements indiens d'enseignement supérieur sont de classe mondiale, puisque le gouvernement a massivement investi dans les collèges de technologie et de génie. En 1951, le premier ministre de l'Inde, Jawaharlal Nehru, a créé le premier (parmi les sept)

Institut indien de technologie (IIT). Tout le long de ce demi-siècle, des milliers d'Indiens se sont livrés à la concurrence pour réussir aux examens d'admission les plus rigoureux. Maintenant les diplômés de ces sept IIT sont souvent salués comme les ingénieurs les plus compétents en informatique et en génie logiciel. Cependant, le pays n'était pas prêt à utiliser ces ressources humaines. En fait, le dysfonctionnement du système politique et l'économie contrôlée ont effectivement causé une fuite des cerveaux jusqu'au milieu des années 1990: quelque 25000 diplômés des IIT ont quitté leur pays pour les États-Unis.

En revanche, l'éducation élémentaire demeure pauvre à cause d'une infrastructure déficiente, d'une qualité d'enseignement médiocre et d'un manque de financement des écoles. Le niveau d'alphabétisation est dramatiquement bas. Entre 1999 et 2004, la politique du Parti nationaliste hindou – BJP (Bharatiya Janata Party) – misait sur «l'indianisation, la nationalisation et la spiritualisation» du système d'éducation, sans trop se préoccuper de la qualité de l'enseignement et de l'accès à l'éducation; les enfants des familles démunies d'argent se voyaient souvent obligés d'abandonner leurs études.

La crise macroéconomique indienne de 1990-1991, la difficulté d'acquitter ses paiements extérieurs, l'impasse de l'économie planifiée, la dissolution de l'Union soviétique en 1991 et l'essor économique de la Chine après sa réforme en 1978, tous ces facteurs ont incité l'Inde à se réformer et à s'ouvrir. Dès 1991, Manmohan Singh, le ministre des Finances d'alors, a joué le rôle du chef d'orchestre des réformes économiques de l'Inde. Plutôt que de suivre une position gandhienne – selon laquelle l'Inde dispose de ressources suffisantes mais qu'il faut développer un système pour les redistribuer –, Singh a pris des orientations comme un régime de planification souple, une certaine déréglementation et l'ouverture aux investisseurs étrangers. Si Singh a adapté l'économie de façon à favoriser l'installation des multinationales en Inde, alors le BJP a, plus tard, libéré l'économie pour qu'elle se développe sans intervention.

Le fameux bogue de l'an 2000 a contribué à la croissance de l'impartition en Inde. On se rappellera qu'il s'agissait d'un problème lié au fait que la plupart des ordinateurs utilisés n'étaient pas conçus pour lire la date au-delà de 1999. Ce fut là une merveilleuse chance pour ce pays, car pour éviter une dépense de plusieurs centaines de milliards de dollars les États-Unis ont choisi de délocaliser leurs services d'impartition en Inde, en raison du très grand nombre d'ingénieurs formés en informatique et d'une main-d'œuvre beaucoup moins chère.

Lors de la campagne électorale du printemps 2004, sous le slogan *India Shining* (l'Inde qui brille), le BJP a mis l'accent sur les avancées technologiques et le succès économique de l'Inde. Toutefois, la classe moyenne au fait de la mondialisation des marchés et de l'augmentation exponentielle des services technologiques indiens ne représente qu'un faible pourcentage de la population. Les régions rurales, où habitent les deux tiers de la population, restent à l'écart de l'Inde qui brille. La politique du BJP s'était désintéressée des équipements et services collectifs, comme les routes, l'acheminement de l'eau et de l'électricité.

Les progrès réalisés sur le front de la TI n'auraient tout simplement pas dû l'être aux dépens du développement rural. L'ouverture du marché à la concurrence, l'innovation technologique et les immenses ressources humaines sont autant de facteurs qui ont contribué à l'épanouissement de ce secteur. Seulement il ne faut pas oublier que la promotion des TIC pour le développement n'est qu'un des aspects d'un bon programme gouvernemental. Les luttes à la corruption et au faible taux d'alphabétisation, la prise en compte des populations aussi bien rurales qu'urbaines, de même que le partage des retombées des TIC avec l'ensemble de la population, sont tout aussi importants.

Depuis la fin des années 1990, à la suite de l'éclatement de la bulle Internet, une masse d'Indiens sont retournés à Bangalore, la *Silicon Valley* indienne, pour bénéficier d'une nouvelle conjoncture favorable, d'un espace d'épanouissement personnel offert en Inde. Ces « nouveaux » intervenants dans le secteur des TIC constituent les forces vives qui édifieront une Inde puissante et moderne. À titre d'exemple, des entreprises privées de télécommunications sont apparues avec des plans ambitieux visant à connecter la majorité des villages indiens. En outre, d'importants capitaux de risque sont maintenant disponibles et stimulent le développement de l'Inde, avec l'appui de marchés boursiers bien réglementés.

CONCLUSION

Thomas Friedman, lauréat du prix Pulitzer, nous annonce : « *The world is flat.* » En effet, de plus en plus d'individus et de compagnies des pays en voie de développement sont sur un pied d'égalité avec ceux des pays occidentaux pour collaborer. Les nouvelles technologies et les nouvelles pratiques, telles que l'impartition et la délocalisation, contribuent à « niveler » le monde. Sur le terrain unique d'ouverture et de participation, les nouveaux acteurs doivent apprendre vite pour ne pas être éliminés. Voici ce qui se passe dans un centre d'appels situé à Bangalore :

> *On the surface, there is something unappealing about the idea of inducing other people to flatten their accents in order to compete in a flatter world. But before you disparage it, you have to taste just how hungry these kids are to escape the lower end of the middle class and move up. If a little accent modification is the price they have to pay to jump a rung of the ladder, then so be it – they say.* (Friedman, 2005, p. 27)

Ces jeunes Indiens sont formés pour déguiser leur accent indien, tout en imitant les Américains au téléphone. Sont-ils confrontés au risque de s'angliciser en prenant l'accent américain ? Ils ont répondu ainsi : si un petit changement d'accent est le prix à payer pour monter en grade, ils prendront un nouvel accent.

Une nouvelle attitude naît chez les jeunes face à une grande compétition et aux nouvelles opportunités. De plus en plus, ils vivent une identité dichotomique selon différents temps et divers espace. Une fois «connectés», sur le terrain de jeu, ils changent leur accent indien en accent américain. Une fois sortis du travail, ils redeviennent très indiens. Là, entre leur culture d'origine et de nouveaux comportements modernes, ils vivent une sorte d'émancipation personnelle, de développement individuel. Rappelons-nous que :

> *The new notion of development emphasizes not only traditional and cultural values but also self-reliance, grass-roots initiatives, and an ideology of its own, independent from traditional liberalism and Marxism.* [...] *Development is not merely growth and change of societies ; it is a fundamental social, economic, political, and spiritual emancipation of individuals.* (Mowlana et Wilson, 1990, p. 31-32, 35)

Le monde est « uniforme ». Cette réalité défie nos habitudes et nous force à quitter le déjà vu, le connu. Changer est difficile, mais changer est important. Pour y arriver, il faut devenir chaque jour plus conscient et apprendre chaque jour. Le développement social n'est pas possible sans le développement individuel.

Chaque société a sa propre force et porte ses propres faiblesses ancrées dans sa culture. Chaque culture vivante réagit aux changements de son environnement. La culture doit se développer, tout en favorisant le développement social. Après tout, chaque nation peut se développer à sa façon. «*Development is simply a purposeful change toward a kind of social and economic system that a country decides it wants*» (Rogers, 1976, p. 8).

Cependant, Chin (2005) souligne un nouveau type de problèmes auxquels les pays en voie de développement doivent faire face : la protection de la propriété intellectuelle imposée par des pays développés. Mais il ne faut pas oublier que les économies puissantes sont souvent celles qui adhèrent au principe de protection de la propriété intellectuelle, ce qui est le cas non seulement des pays occidentaux, mais aussi des membres de l'Asie-Pacifique (Hong Kong, Taiwan, Singapour, la Corée du Sud, le Japon et l'Australie). On se rappellera qu'il y a vingt ans Hong Kong, Taiwan, Singapour et la Corée du Sud n'étaient pas des joueurs mondiaux. Par suite des initiatives gouvernementales en matière de protection de la propriété intellectuelle, ces économies sont parvenues à faire grand cas des efforts d'innovation et de développement et sont ainsi devenues performantes à l'échelle mondiale.

Ceux qui s'imaginent que les pays occidentaux profitent de la propriété intellectuelle se placent en réalité du point de vue de l'usager-consommateur, et non du point de vue de l'innovateur. Dans l'économie de l'information et du savoir, les capitaux les plus importants sont la propriété intellectuelle et les inventions. Comme le dit le vieil adage: «Donne un poisson à un homme, et il aura de quoi manger pour une journée. Apprends-lui à pêcher, et il ne connaîtra plus jamais la faim.» La sagesse de cet adage consiste à montrer ce qu'est la réelle indépendance.

Pays	Expenditures for R&D% of GDP, 1996-2002	Royalty & License Fees – Receipts (M$), 2002	Royalty & License Fees – Payments (M$), 2002	High Tech Exports (M$), 2002
Chine	1,09	133	3114	68182
Inde	S.O.	12	350	1788
Japon	3,09	10422	11021	94730

Source: Banque mondiale, Indicateurs de developpement économique, 2004.

Il faut constater que la Chine a toujours été un grand acheteur de technologies; elle a en effet payé plus en *royalties* qu'elle n'en a reçu. Bien que l'Inde soit considérée comme une économie innovatrice sur le front de la TI, elle n'a pas capitalisé sur son propre savoir et n'a pas développé son expertise pour elle-même.

Rappelons-nous qu'il y a bien longtemps, en 1951, le gouvernement japonais se mit à offrir le tarif préférentiel pour les nouveaux équipements de production efficace importés, et qu'au milieu des années 1950 il prit l'initiative de la recherche et développement en matière d'équipements de production de pointe. À partir de 1985, la croissance du Japon est stimulée par le développement des industries d'«intelligence» (dépenses en R-D) et l'exportation des produits de haute technologie.

Il est trop tôt pour affirmer que la Chine va suivre le même modèle de développement que le Japon. Nous concluons simplement par une citation de Xia Deren, maire de Danlian, une ville incontournable du nord-est de la Chine où se délocalisent nombre d'entreprises japonaises. Xia a dit : «*Chinese people first were the employees and working for the big foreign manufacturers, and after several years, after we have learned all the processes and steps, we can start our own firms.* [...] *one day I hope we will be the architects*» (Friedman, 2005, p. 36).

BIBLIOGRAPHIE

CHIN, Saik Yoon *et al.* (2005). *Panorama numérique de l'Asie-Pacifique*, Ottawa, Les Presses scientifiques du CNRC.

FRIEDMAN, Thomas L. (2005). *The World is Flat : A Brief History of the Twenty-First Century*, New York, Farrar, Straus and Giroux.

MOWLANA, Hamid, et Laurie J. WILSON (1990). *The Passing of Modernity : Communication and the Transformation of Society*, New York, Longman.

ROGERS, Everett M. (1976). *Communication and Development : Critical Perspectives*, Londres, Sage.

SAYO, Phet, James Georges CHACKO et Gopi PRADHAN (2004). *ICT Policies and e-Strategies in the Asia-Pacific*, New Delhi, Elsevier.

SCIADAS, George *et al.* (2005). *De la fracture numérique aux perspectives numériques : L'observatoire des info-états au service du développement*, Ottawa, Les Presses scientifiques du CNRC.

CHAPITRE

7

LES COMMUNICATIONS COMMUNAUTAIRES POUR L'ÉDUCATION POPULAIRE EN AMÉRIQUE LATINE (1950-2000)

Luis Ramiro Beltrán
(traduit par Carmen Rico de Sotelo)

Je ferai ici un résumé en quelques pages d'un demi-siècle d'histoire de la communication pour le développement de l'Amérique latine. Mission quasi impossible, je l'admets, mais, puisque je suis lié au processus depuis le commencement, je me sens prêt à relever ce défi !

7.1. AU DÉBUT, IL Y AVAIT LA PRATIQUE...

La pratique a certainement précédé la théorie. En fait, elle surgit entre le dernier tiers de la décennie des années 1940 et le début des années 1950, à la suite de trois initiatives d'avant-garde – deux venaient d'Amérique latine et une était d'origine étrangère.

7.1.1. LES «RADIO-ÉCOLES» DE COLOMBIE

À Sutatenza, un petit village reculé de Colombie, le curé Joaquin Salcedo s'est servi ingénieusement de la radio pour initier les paysans au développement rural, en se servant des communications de masse à des fins éducatives. Il créa le concept des *radioescuelas*, qui consiste à présenter des programmes spécialement produits pour de petits groupes de voisins et diffusés par l'entremise de récepteurs à batteries. Les auditeurs étaient bien sûr guidés par des animateurs qui les incitaient à appliquer par la suite leurs connaissances pour prendre des décisions collectives, dans le but de favoriser l'amélioration de la production agricole, de la santé et de l'éducation. Ainsi, graduellement, est né un regroupement catholique qui s'appelait *Action culturelle populaire*, lequel, après un peu plus d'une décennie, allait s'étendre à tout le pays et qui aurait même des répercussions internationales.

7.1.2. LES RADIOS *MINERAS* DE BOLIVIE

Quelque vingt ans avant que Paulo Freire ne proposât de donner la parole au peuple, des travailleurs indigènes très pauvres de Bolivie, engagés dans l'extraction minière, sont passés aux actes. Résolus à mieux communiquer entre eux et à se faire entendre par leurs compatriotes, des syndicalistes ont mis en place de petites stations émettrices autogérées à ondes courtes, plutôt rudimentaires – et cela grâce à une contribution prélevée sur leur maigre salaire. Ils les ont utilisées démocratiquement en mettant en place la pratique du « microphone ouvert », au service de tous les citoyens. Tout en mettant l'accent sur l'information et sur les commentaires à propos de leurs luttes contre l'exploitation et la répression, ils faisaient leurs programmes non seulement depuis les galeries des mines ou dans les locaux syndicaux, mais aussi dans les écoles,

les églises, les marchés, les terrains sportifs, sur les places centrales et également en visitant les foyers. À la fin des années 1950, ils avaient réussi à former un réseau national de 33 émetteurs radio, une initiative de « vox populi ».

7.1.3. Les centres de communication pour le développement de USAID

Un peu après la fin de la Deuxième Guerre mondiale en 1945, le gouvernement des États-Unis d'Amérique créa un programme d'assistance technique et financière pour les pays « sous-développés ». Il institua, dans le cadre des services coopératifs avec les gouvernements d'Amérique latine, un programme visant principalement l'amélioration de la production agricole, de la santé publique et de l'éducation scolaire. Ce programme comprenait un organisme chargé de la communication, mettant en œuvre des techniques de développement agricole, d'information sanitaire et d'éducation audiovisuelle. De plus, dans quelques-uns de ces pays, il établissait des centres de communication pour le développement en général, sous l'égide de l'organisme que l'on connaît aujourd'hui sous le nom de USAID (United States Agency for International Development). Le gouvernement fit alors des manuels didactiques sur les principes et les techniques de communication et sur quelques modèles de planification, mais sans cadre théorique dans la façon de mener ce type d'action. Les projets de coopération réalisés en Colombie et en Bolivie n'avaient pas non plus de lignes directrices.

7.2. Et surgit la théorie !

En fait, la théorisation commença approximativement dix ans après le début de ce type de pratiques, et ce, aux États-Unis.

7.2.1. Lerner ou le passage de la société traditionnelle à la modernité

En 1958, un sociologue de l'Institut de technologie du Massachusetts (MIT), Daniel Lerner, publia une étude réalisée à partir des données d'une cinquantaine de pays sur la disparition de la société traditionnelle et du passage à la modernisation. Il découvrit que cette transition se faisait selon les étapes suivantes : l'urbanisation d'abord à la suite de l'industrialisation, l'action de la communication de masse sur les gens, l'alphabétisation et enfin la participation à la vie politique. Selon Lerner, les fonctions de la communication dans un tel processus sont les suivantes : créer de nouvelles aspirations chez le citoyen, faire naître chez lui le désir d'un changement social, développer une meilleure participation aux activités communautaires et, enfin, susciter chez lui l'empathie, c'est-à-dire l'aptitude à se mettre en « à la place de l'autre ».

7.2.2. Rogers ou la diffusion des innovations

En 1962, le sociologue rural de l'Iowa Everett Rogers, qui était professeur à l'Université de l'État du Michigan, mit au point sa théorie sur la diffusion des innovations comme moteur de modernisation de la société ; il définit l'innovation comme une idée perçue comme nouvelle pour un individu et communiquée aux autres membres d'un système social. Il affirma que, pour que l'innovation soit acceptée, le comportement devait passer par diverses étapes : la perception, l'intérêt, l'évaluation, la preuve de son efficacité et l'adoption. Il ajouta que la diffusion de l'innovation dépendait de son taux d'adoption. Selon lui, les innovateurs sont, en général, ceux qui possèdent des revenus relativement élevés, une bonne éducation, l'idée d'un certain cosmopolitisme et le sens de la communication. Il remarqua qu'au début du processus il y avait seulement quelques innovateurs, mais que par la suite la plupart des gens se convertissaient, bien que lentement.

7.2.3. Schramm ou la création d'un climat pour le changement

Wilbur Schramm, communicologue de l'Université de Stanford, publia en 1964 une étude sur la communication et le changement dans les pays « en voie de développement ». Tout en concevant la communication de masse comme une sorte de *policy maker* (ou de « *formuladora de polìticas* »), il précisa son rôle pour la population. Il affirma que les gens devaient être informés de la planification, des actions, des réussites et des limites de l'effort nécessaire au développement ; ils devaient aussi faire partie du processus de prise de décision sur les affaires d'intérêt collectif et connaître les savoir-faire qu'il leur faudrait maîtriser. Pour accomplir ces fonctions, les moyens de communication devraient créer une atmosphère générale propice à la réalisation du changement social indispensable à la réussite du nouveau développement. La publication à l'échelle mondiale des travaux de Schramm, avec l'appui de l'Unesco, contribua à faire de lui le grand prêtre de la communication pour le développement.

Dans la foulée des travaux des universitaires étasuniens, d'autres concepts se développèrent en Amérique latine.

- La **communication d'appui au développement** utilise les moyens de communication – de masse, interpersonnels ou mixtes – comme instrument pour réaliser des projets spécifiques de développement économique et social.
- La **communication de développement** permet de créer, grâce à l'influence des moyens de communication de masse, un climat favorable au changement, qui est un élément essentiel à la réussite de la modernisation des sociétés traditionnelles, à l'avancement technologique, à la croissance économique et au progrès matériel.

La communication pour le développement, telle qu'elle est définie par Lerner, Rogers et Schramm (tous les trois venant des États-Unis, il faut le remarquer), fit loi pendant les années 1950 et jusqu'au milieu des années 1960. L'appui d'organismes bilatéraux comme ceux du gouvernement des États-Unis et des pays européens, comme l'Allemagne et les Pays-Bas, a également contribué substantiellement à la mise sur pied de projets de développement en Amérique du Sud. De plus, les organismes multinationaux comme le PNUD, la FAO, l'Unesco et l'OPS (Organisation panaméricaine de la santé) et, au niveau régional, l'OEA (Organisation des États américains) ont également fait d'importantes contributions, de même que les fondations privées, telles Rockefeller, Kellogg et Ford.

7.4. LA COMMUNICATION ALTERNATIVE EN ACTION

La stratégie colombienne des radio-écoles s'est répandue rapidement dans la région. En effet, suivant l'exemple de la Bolivie au milieu des années 1950, est apparue la première émission de ce type dans une zone rurale peuplée d'indigènes *aimaras*. Jusqu'au milieu des années 1960, sous le parrainage bienveillant de l'Église catholique, le nombre de stations émettrices, en grande partie paysannes, augmenta dans le pays au point qu'il fut nécessaire de former le réseau coopératif des Écoles radiophoniques de Bolivie (ERBOL). Ce réseau avait commencé à introduire dans son arsenal stratégique la figure des reporters populaires, des bénévoles des localités rurales qui s'ajoutaient à ceux qui étaient formés comme correspondants. Au début des années 1970, s'éloignant déjà un peu du modèle proposé par l'ACPO (association catholique populaire) – et avec l'appui de l'Association latino-américaine des écoles radiophoniques –, ERBOL commença à réorienter ses objectifs, en ce qui concerne la conception et la forme des radios, pour favoriser une éducation intégrale, participative et démocratique. Puis, à partir des années 1980, le réseau quadrilingue de portée nationale, appuyé de plus en plus par des interventions indigènes, s'engagea dans la lutte en faveur des pauvres et des marginaux de manière si importante qu'elle provoqua à plusieurs reprises des mesures de coercition, sinon de répression des gouvernements.

Il apparaît donc logique que la communication adoptée par le peuple ait eu recours en premier lieu à la radio en raison de son faible coût en équipement, de sa plus grande facilité d'utilisation et de sa grande portée de diffusion. Dans cette optique, les Latino-Américains ont mis au point un usage parfaitement démocratique de ce moyen de communication, et cela, à partir du début des années 1970. L'une des stratégies les plus remarquables est celle que l'on appelle **audio-forum rural** (*Cassette Foro*), créée en Uruguay par Mario Kaplún ; il s'agissait d'un moyen simple mais fort utile pour encourager un dialogue à distance entre les coopératives agricoles. Une autre initiative fut celle des cabines radiophoniques, sortes de postes d'enregistrement et de prises de contact établis par un prêtre de Latacunga en Équateur pour donner aux paysans la possibilité d'envoyer de l'information à une station centrale distributrice. On peut signaler d'autres exemples de radio populaire au Pérou, au Mexique, en République Dominicaine, au Nicaragua et à Cuba, qui ont combiné des programmes radiophoniques avec des visites dans les écoles et dans des foyers, par des brigades de formation en santé et en éducation. La Colombie et le Mexique ont été parmi les premiers pays qui ont utilisé la radio comme instrument d'appui à l'éducation formelle en salle de cours. Le Salvador l'a fait par la télévision. Le Mexique a également réussi à créer un réseau de canaux consacrés aux programmes de développement rural, à utiliser le téléroman pour une éducation non formelle sur la santé et la sexualité.

Au Brésil, des groupes de journalistes audacieux créèrent la presse « nanica » (en miniature) formée de petits journaux, presque clandestins, comme expression de résistance de la population aux dictatures militaires. Des festivals de musique, des bals, des foires, des pancartes, du théâtre de rue, des concours et de séances de marionnettes, voilà autant de stratégies déployées pour faire connaître à tous ce que les grands médias ne disaient pas. Au Pérou, Miguel Azcueta, un maître d'école astucieux, fit la promotion d'un système de médias multiples à Villa El Salvador, quartier très pauvre de la capitale, surpeuplé d'émigrants paysans indigènes ; il commença par des journaux sur les murs et des bulletins ronéotés, eut recours aux haut-parleurs et au cinéma dans des endroits publics, utilisa la radio et tenta de disposer d'une chaîne de télévision. Puis, vers la fin des années 1940 et le début des années 1950, il commença à se dessiner en Bolivie un « cinéma près du peuple » (*junto al pueblo*), prioritairement indigène, marqué notamment par la diffusion de documentaires de Jorge Ruiz et Jorge Sanjinés – qui gagnèrent plusieurs prix internationaux et posèrent les bases de ce qui deviendra plus tard le « Mouvement du nouveau cinéma latino-américain ».

7.5. ADIEU À ARISTOTE

Également dans la décennie de 1970, les Latino-Américains furent des précurseurs dans la remise en question du modèle classique de communication dominant et pour en proposer une alternative ; ce modèle est né à la fin des années 1940 aux États-Unis en suivant le schéma d'Harold Lasswell : *Qui dit quoi, par quel canal, à qui et avec quel effet?* Le modèle fut raffiné et amélioré au milieu des années 1960 par Wilbur Schramm et David Berlo – *Source-Message-Canal-Récepteur-Effet.* Mais il fut critiqué en Amérique latine, car ce modèle considère la communication comme un processus unidirectionnel (monologique) et vertical (autoritaire) de transmission de messages, d'une source vers des récepteurs passifs, dont la conduite est dirigée d'une façon persuasive, dans le but d'obtenir des effets identifiés par l'émetteur. En s'opposant au caractère mécaniciste, autoritaire et conservateur du processus, divers communicologues progressifs d'Amérique du Sud entreprirent l'élaboration d'un modèle différent ; ils se mirent à repenser la nature du phénomène de la communication en fonction de sa réalité économique, sociale, politique et culturelle.

En 1969, le pédagogue brésilien Paulo Freire, depuis son exil au Chili, critiqua aussi le modèle classique en l'appliquant à la situation des paysans. Entre 1972 et 1973, l'américain Frank Gerace fit, depuis la Bolivie et le Pérou, une première tentative d'extrapoler la pensée de Freire sur l'« éducation pour la liberté », en travaillant à conscientiser les travailleurs par le dialogue et la « communication horizontale ». D'autres pionniers de la démocratisation de la communication furent le Paraguayen Juan Díaz Bordenave, l'Espagnol qui habitait depuis longtemps en Amérique latine Francisco Gutiérrez et le Brésilien Joao Bosco Pinto ; plus tard, ce fut le tour de l'Uruguayen Mario Kaplún et de l'Argentin Daniel Prieto, puis, à la fin de la décennie, du Péruvien Rafael Roncagliolo et du Chilien Fernando Reyes Matta. L'Argentin Máximo Simpson énonça comme caractéristiques de la « communication alternative» – également appelée dialogique, populaire et participative – les éléments suivants :

1. un vaste accès aux ressources du milieu ;
2. la propriété collective des médias ;
3. des contenus favorables à la transformation sociale ;
4. des flux horizontaux et multidirectionnels de communication ;
5. une production artisanale de messages.

En 1980, à la suite de nombreuses critiques et dans un effort de synthèse, j'ai moi-même tenté de formuler un « modèle de communication horizontale », basé sur l'accès, le dialogue et la participation, éléments entendus comme facteurs interdépendants. Je proposai cette définition : « La communication est un processus d'interaction sociale et démocratique qui se base sur l'échange de symboles par lesquels les êtres humains partagent volontairement leurs expériences, par le dialogue et la participation. » Me basant sur cette définition, je proposai une nouvelle définition du concept de développement :

> **La communication alternative pour le développement démocratique** permet l'accès des individus au processus de communication et leur participation dans celui-ci en utilisant les médias – de masse, interpersonnels ou mixtes – pour assurer, outre l'avancement technologique et le bien-être matériel, la justice sociale, la liberté pour tous et le gouvernement de la majorité.

7.6. LA DÉCENNIE DE FEU

Comme je l'ai mentionné ci-dessus, la décennie des années 1970 fut extraordinaire en Amérique latine, parce qu'elle permit un changement dans la situation politique et, dans de nombreux cas, en faveur du peuple. Des milliers de personnes se sont engagées à augmenter et améliorer la pratique des nouveaux modèles de communication ; par ailleurs, plusieurs études sur la communication se sont appliquées à renouveler la théorie.

Au début de la décennie, une pléiade d'analyses universitaires bien documentées produisit une importante littérature critique et de nouvelles propositions qui ouvrirent des débats dans la région et à l'extérieur de celle-ci. Ces analyses dénoncèrent en même temps la dépendance latino-américaine des puissances extérieures et la domination interne des majorités appauvries par les minorités au pouvoir, tant en termes de communication qu'en termes de développement.

Sans être des radicaux échevelés, ces jeunes chercheurs et enseignants proposèrent des solutions importantes pour un nouveau consensus social. Ils firent des contributions cruciales à des initiatives internationales, principalement à celles favorisées à l'époque par l'Unesco, comme la formulation des « Politiques nationales de communication[1] ».

L'Unesco organisa en 1974 à Bogotá la première rencontre mondiale d'experts dans ce type de politique. Les penseurs latino-américains proposèrent un riche ensemble de considérations, de conclusions et de recommandations. Leur rapport devait servir comme plateforme pour les délibérations de la Première Conférence intergouvernementale sur les Politiques nationales de communication en Amérique latine, parrainée également par l'Unesco à San José de Costa Rica en 1976. Cette rencontre se réalisa malgré l'opposition tenace des regroupements interaméricains de propriétaires et de directeurs d'entreprises de presse, qui prétendaient que toute tentative d'établir des normes était opposée à la liberté d'expression. Malgré le harcèlement de la partie patronale, la rencontre réussit à réaliser ses objectifs. Le résultat déboucha dans la *Déclaration de San José de Costa Rica*, qui vint constituer une sorte de credo officiel de la communication alternative pour la construction démocratique. Et cette déclaration produisit plus de trente recommandations spécifiques pour l'établissement de politiques nationales, grâce à l'établissement d'un conseil national de nature pluraliste, ainsi que plusieurs propositions pour des actions coopératives régionales. Par suite de l'opposition des entreprises de presse, aucun des trois pays où les gouvernements acceptèrent les propositions de San José – Venezuela, Pérou et Mexique – n'appliqua les changements proposés.

La proclamation du Mouvement des pays non alignés vint, au même moment, mettre le feu aux poudres et créer une controverse mondiale. Sous un leadership surtout yougoslave et arabe, ces pays voulaient premièrement établir un « nouvel ordre international de l'économie », puis un « nouvel ordre mondial de l'information et la communication (NOMIC) ». Ces deux propositions furent fortement rejetées par des pays développés, fermement résolus à maintenir intacte leur hégémonie sur l'information. Dans le dernier tiers de la décennie 1970, le débat virulent parvint jusqu'aux principaux forums gouvernementaux internationaux comme l'Assemblée générale des Nations Unies et la Conférence générale de l'Unesco. Près d'une cinquantaine d'auteurs latino-américains firent d'importantes contributions à la réflexion sur le sujet. Mais l'unique institution qui fit alors écho aux inquiétudes

1. « Une politique nationale de communication est un ensemble intégré, explicite et durable de politiques de communication répondant à un nombre de principes et à de normes visant à orienter la conduite des institutions spécialisées dans le processus général de communication d'un pays. »

des Sud-Américains a été l'Église catholique... L'Unesco sortit de cette virulente confrontation en créant la Commission MacBride, qui présenta en 1981 son rapport final à l'Assemblée générale de l'organisme. Malgré sa nature foncièrement conciliante, ce document extraordinaire plaça la communication comme outil de démocratie au cœur même de la discussion. Hélas, on ne réussit pas à passer du discours à l'action.

Une autre réussite significative des communicateurs latino-américains, principalement à partir de la décennie 1970, fut celle de la constitution de regroupements professionnels comme l'Association latino-américaine d'écoles radiophoniques (ALER), qui vint s'ajouter aux organisations catholiques de presse écrite et de médias audiovisuels déjà existantes. Naissent également la Fédération latino-américaine des journalistes (FELAP), l'Association latino-américaine des chercheurs en communication (ALAIC), qui fut précédée par l'Institut de recherche de la communication (ININCO) au Venezuela. Plus tard, en 1981, naîtra également la Fédération latino-américaine des Facultés de communication sociale (FELAFACS) qui compte maintenant plus d'un millier de membres. De plus, il se créa d'abord au Mexique l'Institut latino-américain d'études transnationales (ILET), puis plus tard au Pérou l'Institut pour l'Amérique latine (IPAL) et au Chili le CENECA. Tous ces regroupements se sont engagés avec l'idéal de démocratiser la communication et le développement.

Il faut également souligner que depuis le début des années 1970 est apparue dans la région une analyse critique de la recherche de la communication pratiquée dans la région, mais utilisant des modèles étrangers. En général, les prémisses, les objets et les méthodes de recherche propres à ces modèles furent remis en question en raison de diverses considérations d'ordre académique et politique; en particulier, comme dans le cas du modèle de diffusion des innovations comme axe pour le développement, quelques Latino-américains lui ont formulé plusieurs critiques et ont remarqué que cette approche ne s'adaptait pas aux réalités de la région.

Enfin, il faut également indiquer que les revues scientifiques latino-américaines sur la communication ont commencé à naître et se développer.

7.7. QUEL DÉVELOPPEMENT ET POUR QUI?

À la fin des années 1940, s'est implanté en Amérique latine, avec l'assistance technique et financière des États-Unis, le modèle de développement en vigueur dans ce pays et dans certains autres de l'Europe occidentale. Adopté avec un optimisme aveugle par les gouvernements de l'Amérique latine, il allait être appliqué sans hésitation ni ajustements. Mais déjà au début des années 1960 ont commencé à apparaître des preuves de l'inefficacité de ce paradigme : les gouvernements n'y ont pas prêté attention.

Au milieu de cette décennie apparut un mouvement régional de scientifiques sociaux qui annonçaient le début du questionnement critique de ce modèle ; ils proposèrent d'appeler celui-ci « la théorie de la dépendance ». Le mouvement fit remarquer l'injustice profonde qui prévalait dans l'échange commercial de biens et de services entre la région et les États-Unis. Vendre bon marché les matières premières et acheter à prix élevé les produits manufacturiers, voilà ce qui produisait un déficit chronique et croissant pour les Latino-Américains. Pour cela, ils ont affirmé que c'est seulement en changeant cette structure de dépendance qu'il pourrait y avoir un développement effectif et véritablement démocratique ; le rapport Pearson leur a donné raison. Mais personne n'écoutait ces voix prémonitoires. Et ainsi, ce qui devait arriver arriva ; au lieu du développement, le sous-développement s'accentuerait, obstinément et dangereusement.

Au début des années 1970, l'échec du modèle devint vraiment évident. La crise du pétrole eut de graves conséquences sur l'économie de l'Amérique latine, qui n'a pu se défendre comme l'ont fait les pays développés. Vulnérable en raison de son extrême dépendance des États-Unis, la région vit, dès le milieu de la décennie, son taux de croissance baisser rapidement. Cela entraîna les compressions des dépenses publiques, qui, comme toujours, ont affecté les moins nantis. Pour combler les déficits accumulés en raison de l'absence d'équité du régime d'échange, les gouvernements latino-américains durent augmenter leur dette extérieure et accepter des délais d'amortissement plus courts et des taux d'intérêt plus élevés.

En 1973, un communicologue latino-américain proposa de définir le développement comme un processus accéléré de changement sociopolitique qui génère des transformations substantielles dans l'économie, l'écologie et la culture et favorise l'avancement moral et matériel de la majorité de la population, dans des conditions de justice, de liberté et de dignité. En 1974, la Déclaration de Cocoyoc (Mexique) constitua un manifeste politique et régional qui proposait les bases pour un développement humain, plus équitable et démocratique. En 1976, une équipe multidisciplinaire constituée en Argentine par la Fondation Bariloche proposa, après une année d'étude, un modèle latino-américain pour bâtir, par un changement structurel, une nouvelle société fondée sur l'équité, la pleine participation du peuple dans la prise de décision et la protection de l'environnement.

Aucun gouvernement ne prêta attention à des propositions comme celles-là et, ainsi, le sous-développement s'accentua. En effet, vers 1978 la situation économique était la suivante: des salaires de plus en plus bas et des prix de plus en plus élevés avec une inflation inacceptable. Quarante pour cent des familles sont tombées dans la pauvreté extrême, pendant que les élites conservatrices et les autorités s'enrichissaient de plus en plus.

7.8. LA TERRIBLE « DÉCENNIE MANQUÉE »

Durant la décennie 1980 sont apparus en politique le néolibéralisme et la globalisation, qui changèrent en peu de temps les bases structurelles de l'économie, de la politique, de la culture et de la communication à l'échelle mondiale. Et, une fois de plus, les nations à l'origine de ces initiatives nous ont promis une ère nouvelle de développement. Entre 1981 et 1983, cependant, la pire récession depuis la Grande Dépression (de 1929) frappa les pays développés et eut des conséquences catastrophiques sur les pays sous-développés.

Le taux de croissance du PIB de l'Amérique latine, qui avait été de 5,5 % pendant la période de 1950 à 1980, a chuté en 1982 à moins de 0,9 % et le produit *per capita* diminua dans la même année de plus de 3 %. La dette extérieure qui, en 1975, était de 67 millions de dollars bondit alors à 300 milliards, atteignant en 1989 le chiffre astronomique de 416 milliards de dollars. Entre le début et la fin de cette tragique décennie, la participation de la région dans le marché international descendit de 7 % à 4 % et le volume d'investissement étranger passa de 12,3 % à 5,8 %.

Cette crise annihila toute perspective de développement et soumit la région aux graves conséquences de l'augmentation du chômage et de la misère qui s'ensuivit, de même que de la fuite des capitaux vers l'étranger et de l'établissement de barrières à l'exportation. Furent aussi coupés les investissements dans les secteurs sociaux, comme ceux de la santé et de l'éducation.

Ce n'est pas pour rien, en fait, que la décennie 1980 a été appelée la décennie manquée. Et, paradoxalement, on assista dans le même temps à la réapparition des gouvernements démocratiques dans les pays de la région, ceux-là mêmes qui avaient été dirigés longtemps par des dictatures brutales, attachées au modèle classique du développement. Mais la volonté de reconstruction démocratique fut à court d'argent, puisque même l'assistance extérieure au développement diminua.

7.9. FAUT-IL RENONCER À L'UTOPIE ?

Malgré les aspirations refoulées et les souffrances subies, les communicateurs latino-américains engagés dans le nouveau développement n'ont pas baissé les bras et renoncé à leurs idéaux. Il est impossible de faire le compte rendu ici, même pas dans sa forme la plus synthétique, de ce qui a été fait dans les années 1980 et 1990 pour maintenir en vie le combat, malgré le contexte économique et politique défavorable et en dépit des promesses non tenues de la soi-disante société de l'information. Ces communicateurs latino-américains savent bien que la situation de la grande majorité de leurs concitoyens est aujourd'hui pire que dans les années 1970, que la liberté démocratique n'est pas au rendez-vous, que l'exploitation à l'intérieur de nos pays se perpétue et que la dépendance externe est plus grande que jamais. Leur lutte est aujourd'hui plus valable que jamais. Pourtant, ils ne sont pas prêts à renoncer aux idéaux de justice et de liberté et ils continuent à lutter avec les armes de la théorie et de la pratique.

Ainsi le montrent les réflexions relativement récentes développées dans les ouvrages, les revues et les rapports, en particulier dans des pays comme le Pérou, la Colombie, le Venezuela, le Mexique, le Brésil et la Bolivie. De même, on le constate dans les déclarations produites à la suite des diverses rencontres professionnelles, au moins de 1985 jusqu'au tournant du nouveau siècle.

CHAPITRE

8

UN EXEMPLE DE DÉVELOPPEMENT DANS LE CONTEXTE AFRICAIN

L'appropriation de la téléphonie mobile en Côte d'Ivoire

Osée Kamga[1]

1. Osée Nana Kamga, Ph.D. de l'Université du Québec à Montréal et Camerounais de naissance, est chargé de cours à l'Université d'Ottawa (Osée Kamga <okamga@videotron.ca>).

Comment concevoir le développement international à l'ère de la globalisation du monde ? Telle est l'interrogation essentielle de l'heure. Il faut le souligner, le développement international ne peut se penser aujourd'hui comme il se pensait aux heures des indépendances africaines, c'est-à-dire dans les années 1950 et 1960. À l'heure de la globalisation, si l'on prend le parti de nombreux théoriciens qui situent le phénomène au début des années 1980, la donne est complètement différente. La globalisation, telle qu'elle se présente, récuse un monde d'inégalités fondamentales. Or c'est précisément sur la présupposition selon laquelle il existe des disparités mondiales humainement inacceptables que s'est déployée l'aventure du développement. Rappelons ici le point 4 du discours sur l'état de l'Union prononcé par le président Truman sur lequel Gilbert Rist s'étend longuement et qui pose, à son sens, les assises légitimes du développement, soit la reconnaissance d'un monde inégalitaire. Cependant, l'ultralibéralisme actuel repose sur la négation des rapports de force, des relations de pouvoir et de domination des uns par les autres, de la négation de l'infinitésimale petitesse de certains acteurs du monde prétendument globalisé. L'ultralibéralisme qui articule la globalisation du monde postule en son principe un monde où les acteurs, soit les différentes nations, peuvent jouer sur la même scène et obéir aux mêmes règles du jeu. À partir de là, le développement international tel qu'il se fonde au départ sur l'acception qu'il existe dans le monde un déséquilibre fondamental qu'il faut résorber perd toute sa consistance. On voit donc qu'il existe une incompatibilité primaire entre le développement et la globalisation telle qu'elle se pense et se déploie. Voilà ce qui aujourd'hui fournit l'interrogation sur le développement international toute sa spécificité ; c'est-à-dire un contexte historique qui pose l'articulation de deux principes incompatibles comme base de son déploiement.

Pourtant, la problématique des communications pour le développement s'est ravivée de plus belle ces dernières années, particulièrement depuis l'émergence et la popularisation des nouvelles technologies de communication que sont Internet et la téléphonie mobile. Du coup, se sont manifestées diverses perspectives théoriques, les unes optimistes et empreintes de l'idéologie technique, les autres sceptiques, désabusées par l'expérience historique, et d'autres encore tout simplement pessimistes, hautement méfiantes de la non-neutralité technologique. Échappant à ces avenues maintenant classiques, le présent texte s'intéresse strictement à la dimension de l'appropriation et des usages qu'il propose comme voie pour sortir de différentes idéologies. Il ne s'agit toutefois pas de se limiter à décrire divers modes d'appropriation et d'usage dans un contexte en développement, mais de dépasser ces modes pour interroger les contraintes institutionnelles et idéologiques à l'intérieur desquelles ces usages prennent place; donc partir de l'usage de ces modes de déploiement pour examiner les formalités socioéconomiques et politiques de leur émergence.

La notion d'usage est envisagée ici dans le sens de Michel de Certeau, qui postule l'inventivité perpétuelle du sujet, la promptitude de ce dernier à ruser avec tout système coercitif. De Certeau (1991) explore le rapport entre l'individu et les structures à l'intérieur desquelles celui-ci se meut: «De plus en plus contraint et de moins en moins concerné par ces vastes encadrements, écrit-il, l'individu s'en détache sans pouvoir en sortir, et il lui reste à ruser avec eux, à faire des coups» (1991, p. LIII). Ainsi, c'est reconnaître à l'individu une capacité de jeu et une aptitude qui transcende les aptitudes de groupe, c'est-à-dire qui va au-delà de l'acceptable collectif. Cette dimension des ruses qui caractérise les manières d'opérer des individus à l'intérieur des systèmes contraignants a généralement été ignorée par le paradigme du développement. Or, l'expérience le montre, les tentatives de soumettre les individus aux règles des structures dominantes n'ont généralement que très partiellement abouti. Et pour cause, comme le remarque Jean Godefroy Bidima, «quel que soit le haut degré d'aliénation que peut subir une totalité donnée, le surgissement consubstantiel du Sujet le pousse à s'auto-engendrer dans l'espace hostile, à ruser avec une temporalité qui ordonne, classifie et compte» (1997, p. 117). C'est que l'aspiration au mieux-être personnel force l'individu soit à transgresser le système, soit à créer à l'intérieur même du cadre dont il ne saurait se sauver les conditions de sa réalisation et de son épanouissement. Michel Crozier est plus catégorique en avançant que cet auto-engendrement constitue chez l'individu une volonté de dérogation fatalement suscitée par le système dans lequel il se meut: «Toute action humaine organisée, tout effort collectif et même toute mobilisation idéologique entraîne ce qu'on appelle "des effets pervers", c'est-à-dire des conséquences contraires aux intentions des participants» (1979, p. 25). Pour Crozier, «penser planification en matière de changement, c'est faire comme si la matière humaine était inerte, comme si les hommes n'allaient pas réagir aux objectifs et aux contraintes auxquelles on les confronte» (1979, p. 68-69). La perspective que nous adoptons, c'est-à-dire celle de l'usage comme acte individuel en situation, s'appuie sur ces hypothèses. C'est donc ce rapport de l'individu aux structures de détermination qui nous intéresse, que ces structures soient sociales, politiques, économiques ou techniques.

L'usage, dans le cadre de cette analyse, est celui du téléphone mobile et le contexte est africain. Il faut dire que la recherche en communication s'intéresse de plus en plus au phénomène du mobile dans le contexte africain. En témoignent les études menées par Vodafone pour comprendre comment cette technologie est exploitée dans l'Afrique rurale[2]. Un intérêt qui se justifie certes par la croissance et la popularité inattendues que le mobile a connues parmi les couches populaires africaines, mais surtout en raison de l'évidence de plus en plus notoire que le mobile constitue, comme le notait déjà Annie Chéneau-Loquay (2001), un outil «beaucoup mieux adapté aux espaces africains». Et on peut l'affirmer, il est manifestement mieux adapté aux structures socioéconomiques du continent. On ne saurait donc se surprendre que, malgré sa condition économique plutôt déplorable, l'Afrique connaisse un taux de pénétration phénoménal de la téléphonie mobile. Tout est là, dans le caractère adaptable de l'innovation aux structures sociales et économiques, mais aussi aux réalités géographiques des pays africains.

On peut étudier la téléphonie mobile en Afrique selon différents angles. L'approche technique est souvent privilégiée par les organismes internationaux, notamment l'UIT, largement intéressés par la problématique du fossé numérique et par les politiques d'accès qui l'accompagnent. Certaines analyses ont opté pour l'effet de cette industrie sur la structure des économies nationales. C'est notamment la perspective qu'a adoptée la Banque mondiale dans certaines études où il apparaît, par exemple, que les investissements en télécommunication mobile génèrent un taux de retombées économiques de 20% dans les pays en développement. D'autres chercheurs se sont penchés sur les incidences du mobile sur les modes de socialisation et donc sur la structure sociale en Afrique. On peut évoquer sur ce plan l'analyse d'André Nyamba, qui discute de l'impact du mobile sur le peuple Sanan au Burkina Faso (Chéneau-Loquay, 2001). Nyamba rappelle que les Sanan sont un peuple dont le lien social est tissé par la «parole» et il s'interroge sur ce qu'il en sera de ce lien, quand l'introduction généralisée du téléphone entraînera une mesure de rationalisation de cette «parole». Autant de voies aussi intéressantes les unes que les autres. Des approches microéconomiques se sont intéressées surtout aux modèles informels de petites entreprises qui se sont bâties autour de la téléphonie mobile. Dans le contexte qui nous intéresse, ces micro-entreprises consistent essentiellement en la revente du trafic communicationnel par les abonnés du mobile, phénomène qu'on désignera ici par l'expression «cabine mobile». Toutefois, nous ne proposons pas une analyse économique de ces entreprises, mais tentons de comprendre ce qu'elles représentent pour les acteurs. Autrement dit, le sens que l'usager du mobile donne au geste même

2. Voir *Intermedia*, vol. 33, nº 3, août 2005, p. 32-42.

qu'il pose, soit celui d'exploiter un abonnement personnel comme moyen de gagner de l'argent. Il s'agit d'accéder aux significations profondes que revêtent les gestes individuels dans l'univers d'une pratique généralisée.

On retrouve, dans cette approche, l'hypothèse de l'individualisme méthodologique telle que posée par Joseph Schumpeter, avec à sa base le principe selon lequel toute explication d'un phénomène social doit commencer avec l'individu, celui-ci considéré comme étant à l'origine dudit phénomène. Ainsi, il ne s'agit pas de construire un modèle explicatif au moyen duquel on assimilera la réalité, mais, au contraire, d'avancer une explication aux divers usages du mobile dans le contexte ivoirien. Il s'agit d'en proposer une compréhension en mettant en lumière le sens des choix qu'opèrent les acteurs. L'entreprise vise ici la valorisation des pratiques individuelles, éminemment porteuses de signification et absolument déterminantes pour le lien social. Cette perspective est teintée de « l'individualisme méthodologique » qui, comme le rappelle Pierre Moeglin, conçoit que « les faits sociaux résultent de l'interaction et de la combinaison des initiatives, attitudes, représentations, comportements et stratégies individuelles » (Lacroix et Tremblay, 2003, p. 23-24). Ici, les acteurs individuels disposent d'une marge de liberté et, agissant avec un certain degré de rationalité, entendu qu'ils favorisent tel moyen plutôt que tel autre jugé plus approprié dans la réalisation de leurs objectifs, ils créent la réalité sociale. Par conséquent, on ne saurait rendre suffisamment compte de cette réalité par les seules explications causales sur le modèle : tel phénomène s'explique par la culture ou par l'appartenance ethnique, groupale, etc. L'approche compréhensive telle que l'envisage l'individualisme méthodologique permet de saisir les motifs des actes individuels et d'interpréter la signification qu'ils leur donnent. Elle ne méconnaît pas l'existence des grands ensembles, pas plus qu'elle ne méconnaît leurs influences possibles sur les individus, puisque ceux-ci vont se définir eux-mêmes par leur appartenance à un collectif. D'ailleurs, les grands ensembles sont pris en compte dans l'analyse, puisqu'ils déterminent le cadre d'action des individus. En revanche, l'individualisme méthodologique s'oppose aux approches holistes, soit, comme le souligne Friedrich August Hayek, « la tendance à traiter les ensembles tels que la société ou l'économie, le capitalisme [...], une classe, un pays comme des objets nettement déterminés dont il est possible de découvrir les lois en observant leur comportement en tant qu'ensemble » (cité par Jean-Guy Prévost, 1990, p. 68). Ce qu'il faut comprendre avec cette perspective, c'est qu'elle révèle la diversité de significations que porte le même geste d'un individu à l'autre. Les conséquences d'une telle approche de la problématique du mobile en contexte africain se veulent à la fois épistémologiques et politiques: épistémologiques, parce que cette approche suppose l'émergence de nouvelles catégories d'usagers basées sur l'état affectif et psychologique de l'être; politiques, parce qu'elle remet en question la pertinence des politiques du fossé numérique, à tout le moins dans leur forme dominante.

Le présent texte porte donc sur le phénomène croissant des «cabines mobiles», en Côte d'Ivoire plus particulièrement, et montre en quoi il s'agit là de gestes «rusés» au sens où De Certeau l'entend. Nous présentons d'abord la méthode de sélection de répondants et les outils d'enquête exploités dans ce contexte. Ensuite, des données empiriques recueillies en Côte d'Ivoire en 2002-2003 serviront à illustrer le caractère éclectique des significations rattachées à la pratique des «cabines mobiles». Cette dynamique, nous le montrerons, remet en cause les perspectives holistes du développement international.

8.1. CHOISIR DES RÉPONDANTS: UNE TÂCHE DÉLICATE

D'une manière générale, cette recherche a fait appel à différentes techniques de collecte de données: les entretiens informels, les entretiens formels mais non directifs, l'observation directe. Nous avons conduit trois séries d'entretiens formels avec les revendeurs du trafic communicationnel dans des endroits préalablement repérés de la ville d'Abidjan. Cette pratique de revente que nous appelons ici «cabine mobile», bien qu'illégale, est tacitement cautionnée par les autorités publiques et encouragée stratégiquement par les opérateurs du mobile, créant alors la figure de ce qu'on peut appeler la dialectique du formel et de l'informel. Elle témoigne très éloquemment de la spécificité du contexte africain, c'est-à-dire de toute la difficulté de la conceptualiser à partir de catégories occidentales. La première série d'entretiens menés à Port-Bouët s'est déroulée entre le 14 et le 25 septembre 2002. La deuxième série a été conduite à Abobo entre le 30 septembre et le 12 octobre 2002. Quant à la troisième, elle s'est échelonnée entre le 17 octobre et le 6 novembre de la même année. Certains entretiens ont été menés sur rendez-vous. Ainsi, lors d'un contact préliminaire établi sur place, nous présentions au potentiel interviewé l'objet de notre enquête en sollicitant sa collaboration. Nous convenions, le cas échéant, de l'heure et du lieu où l'entretien pourrait avoir lieu. À noter qu'outre la présence d'un accompagnateur ivoirien, parcourir systématiquement le secteur va contribuer à établir avec les gérants de la «cabine mobile» un certain climat de confiance. Dans un univers aussi volatile que celui de la revente du trafic téléphonique dans la rue, les acteurs ne sont pas forcément constants. Pour diverses raisons, certains se retirent après quelques mois d'exercice seulement, soit définitivement, soit temporairement. Ainsi, la croissance générale du secteur est attribuable, dans une bonne mesure, à l'arrivée régulière et massive de nouveaux exploitants. Nous avons donc opéré une révision stratégique, en retenant les répondants qui exploitent une «cabine» depuis au moins six mois. Cette enquête a engagé la participation de quinze hommes et seulement huit femmes, la raison de cette asymétrie étant double. D'une part, il y a généralement eu plus d'hommes que de femmes sur les sites que nous visités. Il n'existe aucune statistique permettant de savoir s'il s'agit de la tendance générale à Abidjan. En revanche, l'expérience nous a permis de constater que la configuration sur un site peut changer selon les jours ou même les moments de la journée. Une chose est certaine, cette activité attire sans discrimination hommes et femmes. D'autre part, les femmes sont apparues moins promptes à se prêter à l'étude. Elles étaient généralement plus hésitantes et même plus réservées dans l'expression de leur pensée.

8.2. «LA CABINE MOBILE» COMME PRATIQUE RUSÉE

La dynamique des «cabines mobiles» obéit à la logique des petits métiers dont le moteur est la nécessité. Mais ces cabines opèrent dans l'illégalité. Au cœur de la question, il y a la notion de publiphonie, laquelle consiste en l'exploitation des cabines publiques. Toute personne physique ou morale qui entend œuvrer dans la publiphonie doit au préalable obtenir une autorisation auprès de l'Agence des télécommunications de Côte d'Ivoire (ATCI) sous forme de licence d'exploitation moyennant une contrepartie d'un million de francs. Le marché de la publiphonie en Côte d'Ivoire était partagé entre la CIT et Publicom[3]. Bien que d'autres entreprises, en l'occurrence CAMITEL et SOGEQUIP, aient obtenu une licence d'exploitation, elles n'ont jamais été actives. Aujourd'hui, seule Côte d'Ivoire Télécom opère légalement dans ce secteur avec à son actif, à la fin de décembre 2002, 1 922 cabines publiques et 854 cabines

3. Dans son article «À quand la fin de la guerre de la publiphonie?», Constant Coulibaly montre comment, par une stratégie de dumping, Côte d'Ivoire Télécom a réussi a mettre sa rivale hors d'état de nuire. Il faut dire que l'exercice a été relativement facile pour la CIT, puisque, d'une part, elle est la seule détentrice des infrastructures de base et que, d'autre part, elle était le fournisseur de l'entreprise Publicom en trafic téléphonique. Aussi, il a été difficile pour cette dernière, avec son chiffre d'affaires de 60 millions, de tenir la concurrence face à 80 milliards de chiffre d'affaires de la CIT. Voir le site <www.transfet.net>.

labellisées. Les «cabines mobiles», pour leur part, passent outre les exigences réglementaires, mais plus par ignorance que par mauvaise foi. En général, leurs exploitants ignorent que leur pratique relève de la publiphonie, terme tout simplement inconnu de plusieurs. Dans l'ensemble, les répondants ont jugée ridicule l'idée de devoir débourser un million de francs pour opérer dans la légalité. Ici, on ne pense pas en termes de loi et de régulation, l'État et ses organes ne faisant guère partie des termes de l'équation. La multiplication des «cabines» est telle que certains coins de rue peuvent en compter plus d'une dizaine.

Combien de «cabines» y a-t-il sur l'ensemble du territoire ivoirien? Il est hasardeux de tenter une réponse par le seul fait d'un recensement. Même avec une méthode rigoureuse, on n'arriverait qu'à un résultat approximatif. Le cas d'Abidjan le révèle clairement, leur répartition chaotique rend virtuellement impossible tout recensement. Aussi, le milieu est très versatile, puisque certaines «cabines» apparaissent, s'adaptent devant la concurrence et les exigences du labeur, puis disparaissent bien rapidement. Par ailleurs, certains revendeurs de cabines ont affirmé se déplacer en fonction des heures de la journée vers des zones plus affluentes. D'autres, en revanche, ont indiqué qu'ils répartissaient leurs heures de service autour d'activités jugées principales. En l'occurrence, des étudiants opérant dans le domaine ont admis que leur programme de «cabine» était établi en fonction de leur horaire scolaire. Ainsi, ils pouvaient se pointer au coin de la rue à une certaine heure de la journée ou même certains jours de la semaine et être complètement absents à d'autres. On voit ainsi certaines difficultés, sérieuses au demeurant, qui constitueraient un véritable écueil au dénombrement des «cabines». Les opérateurs, pour leur part, se sont montrés plutôt réticents à me révéler les chiffres, mais on estimait en 2003 que quelque 100000 abonnés se servaient de leurs téléphones comme cabine publique.

Ainsi, la cabine, par son existence même, se veut transgression du système régulateur des télécommunications en vigueur dans le pays. Mais le jeu peut s'avérer plus subtil. C'est le cas notamment des «cabines» qui comptent un abonnement avec chacun des opérateurs du mobile du pays, en l'occurrence Télécel et Orange. Pour contourner les frais d'interconnexion d'un opérateur à l'autre qui grugeaient largement leurs profits, de nombreux revendeurs de trafic ont désormais une ligne avec chacun de ces opérateurs. Ainsi, si le correspondant du client qui se présente est un abonné de Télécel, alors le revendeur le servira par sa ligne Télécel. Il en sera de même si le client correspond avec un abonné de la compagnie Orange. D'une part, donc, les cabines sont en violation de la prétention avouée de l'individu au moment de son abonnement, de même qu'en violation du code réglementaire régissant le secteur des télécommunications dans le pays. D'autre part, l'exploitant de la « cabine mobile » sait que, pour survivre aux coûts que lui impose le système tarifaire en vigueur, il doit procéder à des ajustements stratégiques. Du coup se révèle la dimension rusée de l'usager qui doit composer avec la donne des systèmes auxquels il ne saurait souscrire. Dans l'ensemble, on peut identifier trois catégories d'usages des « cabines mobiles » :

- les « cabines » comme situation provisoire;
- les « cabines » comme exutoire;
- et, finalement, les « cabines » comme chance.

À noter que toutes ces catégories sont construites en fonction des conceptions des usagers eux-mêmes. Autrement dit, deux situations peuvent être très semblables en apparence, mais différer par la signification qu'en donnent les concernés. Les cas de figure qui suivent illustrent bien cette réalité.

8.2.1. Les « cabines » comme situation temporaire

Bernard a fini son cycle secondaire et a bénéficié d'une formation de transitaire. Malheureusement, l'instabilité économique aidant, la faiblesse de l'activité portuaire nuira largement aux embauches. En attendant, Bernard s'est lancé dans l'exploitation d'une « cabine mobile ». S'il a choisi l'exploitation du mobile plutôt qu'un autre petit métier, c'est parce que « la cabine marche »; autrement dit, il la trouve rentable. N'ayant pour le moment aucune autre préoccupation, Bernard organise avec adresse son activité. Les soirs et les fins de semaine, il occupe son poste près de son domicile à Morcori, un quartier populaire de la ville. En semaine, aux heures ouvrables, il vise surtout le milieu étudiant. Il a commencé par son ancien établissement, mais s'est heurté à une vive concurrence. C'est la raison pour laquelle il s'est risqué au campus de l'Université de Cocodi. Bernard admet volontiers que, là aussi, les revendeurs sont nombreux. Cependant, précise-t-il, « puisqu'il y a beaucoup de monde, j'arrive à faire mon chiffre d'affaires ». De plus, nombre de ces revendeurs sont eux-mêmes des étudiants et ne sont donc disponibles que de façon intermittente, ce qui libère davantage le champ, du moins à certaines heures, pour les revendeurs plus occasionnels. Bernard a épuisé sa première recharge en dix jours seulement, en revendant le trafic au tarif de 150 francs la minute. Au bout de deux mois, il avait remboursé les 100000 francs qu'il devait à son père. Aujourd'hui, malgré le marché qui se sature de plus en plus, il réussit à épuiser une recharge et demie à deux recharges par mois, ce qui représente un profit mensuel de 75000 à 100000 francs. «Ce qui m'aide, c'est que je bouge beaucoup sur le campus. Il faut connaître les endroits.» Bernard se fait donc un salaire bien au-delà du salaire moyen dans le pays, situé autour de 45000 CFA par mois. Et jusque-là, il a amassé des économies de 130000 francs. Il ne faut surtout pas croire qu'il entend faire carrière dans la «cabine». Son ambition est désormais de devenir maître d'hôtel. Bernard est par ailleurs conscient que ses revenus actuels feraient l'envie de nombre d'employés d'hôtel. Mais pourquoi y tenir tant? Pourquoi ne pas continuer dans la «cabine»? «Ça dépend de ce que tu veux faire, répond-il.» En d'autres termes, ça dépend de tes ambitions. Pour lui, il faut être sans ambition pour faire de la «cabine» une carrière. Il estime d'ailleurs que, sous peu, ce sera beaucoup plus difficile de «faire son chiffre d'affaires, parce que, maintenant, tout le monde veut faire cabine». La situation temporaire résulte ici de cette certitude qu'a l'usager, en raison de sa formation et de ses ambitions, de connaître un sort meilleur. La «cabine» est donc une pratique temporaire, un tremplin pour atteindre ses objectifs de carrière. Ce qui frappe dans ce cas de figure, c'est l'importance toute relative accordée au quantitatif. Même si la «cabine» procure des gains non négligeables, elle demeure sous-estimée et ne saurait se substituer à une carrière plus honorable. L'usage économique du mobile est envisagé par les intéressés simplement comme une transition. Cette situation est plutôt fréquente, à en croire les répondants, c'est-à-dire des individus victimes du ralentissement économique et en attente de rappel de la part de l'ancien employeur. Qu'ils soient naïfs ou pas, on ressent chez eux un optimisme caractéristique.

8.2.2. Les «cabines» comme exutoire

Laurent a travaillé pendant trois ans dans une entreprise d'import-export avant que la «conjoncture» n'ait raison de son poste. La frustration de Laurent contre le système est palpable. «On était mis en disponibilité temporaire, se souvient-il, mais le temporaire, ça continue depuis deux ans. Tous les employeurs disent maintenant: il y a crise, il y a crise.» Ce qui amène Laurent vers l'exploitation économique du mobile, c'est donc clairement le besoin. Licencié au début de 2002 et sans indemnité de départ, il vit pour commencer sur ses «petites économies», mais doit rapidement se rendre à l'évidence: le prochain emploi n'est pas pour demain. Sa compagne le presse alors d'exploiter une «cabine»: «Elle m'a dit qu'on n'avait qu'à acheter une recharge, puisqu'on avait déjà notre portable. Elle, elle s'occuperait de la cabine et moi, je trouverais quelque chose.» Mais, le désœuvrement persistant, Laurent s'est retrouvé lui-même vendeur dans une «cabine». En fait, il alterne avec sa compagne la présence à leur poste installé devant la cité universitaire, dans le quartier Port-Bouët. Il y a dans son attitude un mépris manifeste pour cette activité qu'il qualifie à répétition de «cette histoire de cabine». Mais il est conscient de son utilité présente: «Il faut bien qu'on vive, répète-t-il. Il faut bien que ma petite fille mange.» La «cabine» apparaît ici comme une porte de sortie, sans plus. Contrairement aux exploiteurs qui vivent leur situation comme étant temporaire, il y a chez Laurent une sorte de résignation: «Je fais des demandes d'emploi depuis un an et demi; vous comprenez, un an et demi. Au moins, avec ma cabine, je ne quémande pas.» Laurent n'encense pas le mobile, mais il sait que c'est grâce à cela qu'il échappe à l'absolue indigence et au vice de la mendicité qui l'accompagne. Laurent est aussi très conscient de la précarité de sa condition actuelle, et le futur lui semble bien sombre. Il ne s'agit pas là d'un cas unique. Quelques interviewés ont affirmé, ou suggéré, qu'ils n'avaient pas d'autres ambitions, en prenant soin de souligner qu'ils n'étaient pas seuls dans leur situation. Non seulement plusieurs ne cherchent pas un autre travail, prétextant leur incapacité de «faire couloir[4]», mais, en plus, des expressions telles que «c'est la vie», «on ne peut rien, quoi» reviennent souvent. Cette résignation, on la retrouve notamment chez Abdoulaye, un jeune homme de 22 ans qui a échoué deux fois à l'examen du baccalauréat, avant d'abandonner les bancs de l'école. Il se présentera à nouveau, mais cette fois-ci comme candidat libre. Pourtant, il ne se fait pas d'illusion quant à ses chances de réussite, et son cynisme à l'égard des diplômes est à son comble: «Papier de Blancs là même, ça donne quoi?» La «cabine» qu'il exploite n'est pas sienne et il reçoit 10000 francs comme salaire sur chaque carte de 100000 francs écoulée. Salaire modique, somme toute, et Aboulaye en convient. Mais cette «cabine» lui permet d'échapper à l'oisiveté.

8.2.3. Les «cabines» comme une chance

En septembre 2003, le PNUD a mis sur pied le programme ABRIS pour venir en aide aux déplacés de guerre. Le but est de permettre à ces personnes de se prendre en main par une activité génératrice de revenus (AGR). Ce qui frappe dans l'exécution de ce programme, c'est, d'une part, la place centrale qu'y occupe l'individu et, d'autre part, son articulation autour du secteur informel de la vie économique, légitimant par le fait même des pratiques qui se déroulent à la limite de la légalité. Pour commencer, les déplacés ont été invités à s'enregistrer dans les mairies

4. Expression qui, dans le cas d'espèce, veut dire graisser la patte en coulisse pour obtenir un poste.

de leurs communes respectives. Là se sont déroulées les opérations de sélection en fonction des critères déterminés par le PNUD. Les personnes ont été regroupées par profession, question de déterminer si on pouvait trouver des postes à certains professionnels du groupe dans la capitale ivoirienne. Mais en général il s'est agi pour les individus d'indiquer aux représentants du PNUD ce qu'ils désiraient entreprendre comme activité. Des 360 personnes qui ont bénéficié de cette disposition dans la seule commune d'Adjamé, 19 ont opté pour l'exploitation d'une cabine. En conséquence, le PNUD, en plus de leur fournir le matériel nécessaire pour « se lancer en affaires », a ouvert à chacun un compte à la Coopérative d'épargne crédit (COOPEC), pourvoyant ainsi ces personnes d'une large mesure d'autonomie. Le matériel fourni consistait en un kit téléphonique (comprenant le cellulaire, la carte à puce et une recharge de 100 000 francs), une tablette d'exposition et un parasol sur lequel les inscriptions ABRIS et Programme des Nations Unies pour le développement ne laissaient aucun doute quant à la provenance. Le temps écoulé entre le début des opérations du PNUD et notre rencontre avec les bénéficiaires n'était que de trois mois. Pourtant, à l'exception d'une seule personne, soit Julie dont le téléphone a été volé seulement une semaine après le début des activités, tous les interviewés de cette catégorie ont fait montre d'un enthousiasme palpable, chacun mijotant en son fort de captivants projets. Au moment de l'enquête, des commentaires du genre « Le PNUD nous a retiré une épine du pied, on peut courir maintenant » ou encore « C'est un nouveau souffle, quoi » se feront entendre. Il y avait chez les interviewés le sentiment qu'ils peuvent désormais aller loin économiquement et même socialement.

Quand Robert arrive à Abidjan au début d'octobre 2002 en provenance de Bouaké, il est accueilli par un ami dont le père, préfet dans le nord du pays, loue un appartement à Abidjan pour sa famille. Ainsi, comme nombre d'individus et de familles ivoiriennes victimes de l'exil intérieur, Robert va trouver refuge chez une connaissance. S'il a choisi l'exploitation du mobile plutôt que les 245 000 francs que le PNUD offrait à ceux qui optaient pour un petit commerce, c'est parce que la « cabine » lui apparaissait comme une activité moins hypothétique : « Quand tu achètes une recharge, tu sais que tu vas la revendre. Les gens appellent toujours. Maintenant, le profit dépend du temps que tu mets à écouler la recharge. » De plus, n'ayant aucune expérience dans les affaires, il n'aurait su prendre le risque d'encaisser une somme précise pour la perdre complètement par la suite. Par ailleurs, la flexibilité que permet le mobile a contribué à l'attrait de l'option. En tant qu'étudiant en voie d'obtenir sa maîtrise en droit, Robert pourrait alors organiser ses activités autour de ses préparatifs en vue de la soutenance. Certes, les étudiants étaient *a priori* écartés du programme, mais finalement le PNUD a tenu compte de certaines situations particulières. Ainsi, l'orphelinat de père et une mère vivant encore en zone de guerre ont valu à Robert de bénéficier du programme. Au 17 décembre 2003, soit le jour de notre rencontre, Robert disposait de 60000 francs d'économie à son compte d'épargne, et ce, après avoir déposé une caution pour un logement en vue de son déménagement prévu pour janvier 2004. «J'aurais pu avoir beaucoup plus, souligne-t-il, mais je travaille très peu. Je suis dehors de 6 à 8 et de 18 à 22. Ça me prend 20 à 25 jours pour finir une recharge. Le reste du temps, je suis au campus.» Le campus ici étant un aménagement «de fortune» dans la capitale pour accommoder les étudiants de l'Université de Bouaké.

En fournissant ses services à 150 francs la minute, Robert empoche par recharge écoulée un profit moyen de 50000 francs. C'est cette régularité qui l'incite à vouloir s'investir un peu plus dans le mobile. Il envisageait pour janvier 2004 l'achat d'un deuxième téléphone mobile dont il confiera la gestion à son cousin, déplacé de guerre comme lui, mais qui n'a pas été admissible au programme du PNUD. Cependant, il ne s'agit pas chez Robert de considérer la «cabine» comme voie de fortune, mais plus simplement comme une certaine garantie de mener sa vie sans être à la merci totale d'un système social habile à la marginalisation et à l'exclusion: «Je viens du Nord et je ne connais pas les *hauts-de-en-haut*[5], quoi. Ici, c'est important. Même avec ma maîtrise, rien n'est garanti... Je sais, avec la cabine, je ne vais pas devenir millionnaire. Mais ça va aller, quoi.» C'est animé d'un sentiment de confiance que Robert envisage l'avenir, pourvu par sa «cabine» d'une perspective de liberté, de prise en main, d'une opportunité inespérée.

C'est aussi le sentiment de Fatima, une déplacée de Korogo qui a bénéficié d'une «cabine mobile» du PNUD. Elle est mise au courant du programme ABRIS grâce au travail effectué par les représentants de la Croix-Rouge. «Les gens de la Croix-Rouge, explique-t-elle, passaient de porte en porte pour demander s'il y avait des déplacés de guerre.» La sélection du PNUD constituera pour elle un nouveau départ dans la vie. Il y a chez Fatima l'idée que, dans le contexte abidjanais actuel, la débrouillardise constitue la seule porte de sortie honorable pour les femmes de sa condition, c'est-à-dire sans père ni mari. Le fait qu'elle soit Senofo ne saurait que lui nuire dans la recherche d'emploi, pense-t-elle, puisque l'heure semble à la méfiance envers les ressortissants du Nord. «Mais si tu as ta cabine, tu n'as qu'à trouver une bonne place. Et si tu es là chaque jour, tu vas faire ton chiffre d'affaires.» En conséquence,

5. Pour désigner les hommes influents du système.

Fatima passe sept jours sur sept devant sa « cabine » et se fait remplacer en cas de contretemps majeur. Ainsi est-elle à même d'épuiser deux cartes par mois. Cette diplômée universitaire de technologie en commerce a fait le pari de réussir son intégration dans la métropole ivoirienne. Ses activités commerciales ont rapidement connu un développement positif, puisque les profits du mobile lui permettront, dès le deuxième mois, de se mettre à la vente des œufs cuits, biscuits et autres friandises. Au moment de l'entretien, Fatima prévoyait l'ouverture prochaine d'un kiosque à café. L'emplacement était déjà trouvé, tout près du cinéma La Liberté à Adjamé et seuls certains ustensiles manquaient encore. « La cabine me permet de subvenir à mes besoins, explique-t-elle. Mais il y a aussi ma famille. J'habite chez mon tuteur et ses enfants n'ont pas de travail. Puis il y a ma mère. Tu vois bien que je ne peux pas rester là. » Ainsi, dans la mesure où il permet la poursuite d'objectifs plus importants, le mobile constitue un tremplin. Dans la mesure où la « cabine » enclenche un processus, elle constitue une chance.

8.3. IMPLICATIONS POUR LE DÉVELOPPEMENT

Les exemples évoqués ci-dessus indiquent que le téléphone mobile peut contribuer à améliorer la condition économique des Ivoiriens. L'exploitation du téléphone mobile à des fins commerciales peut permettre aux individus de satisfaire la dimension physique de leurs besoins sans nécessairement satisfaire leur sensibilité de l'ordre des affects. Cela explique que nombre de revendeurs soient prêts à abandonner la « cabine mobile » quand une situation socialement plus honorable se présentera. Par le fait même, ce constat récuse diverses formes de déterminisme, qu'elles soient économiques, technologiques ou sociales. Autrement dit, il serait simpliste de prétendre que l'émergence des « cabines mobiles » procède de la structure économique du pays, de la disponibilité technique ou même de la structure sociale. La « cabine mobile » relève d'abord et avant tout l'ordre de la débrouillardise dont les termes obéissent à l'instant. Par conséquent, on n'est pas dans des stratégies qui visent le long terme et pourraient ainsi servir de base à quelque politique d'intervention. On est dans l'ordre des « tactiques » (dans le sens de De Certeau) aux motivations multiples et aux modes de réalisation divers. Ainsi, la « cabine mobile » comme forme d'appropriation du téléphone mobile relève davantage de la façon dont les individus négocient son introduction, en tant qu'innovation, dans le déploiement quotidien de leur vie.

Il est manifeste que les Ivoiriens ne se contentent pas de reprendre les usages à l'occidentale de cette technologie en provenance de l'Occident. Ils la transforment, la modifient, l'adaptent selon des stratégies d'utilisation propres et l'investissent ainsi d'un sens nouveau. Modalités d'utilisation authentiques qui s'inscrivent dans la logique de ce que Oswald de Andrade, dès 1928, revendique dans son « Manifeste anthropophage ». En d'autres termes, les Ivoiriens « dévorent » les usages prescrits qu'ils insèrent dans leurs pratiques ordinaires. Et ce sont ces possibilités, ouvertes à tous, qui fournissent au mobile tout son attrait. Il faut comprendre que l'élément nouveau, le mobile dans le cas d'espèce, n'est plus perçu comme tel par les usagers, puisqu'il ne modifie, *a priori*, ni les structures profondes de la société, ni ses activités ; il les intègre. Si l'exploitation du téléphone mobile comme « cabine » peut être perçue comme une déviance, celle-ci se situe sur le plan des valeurs. C'est-à-dire que l'outil en lui-même reste essentiellement le même qu'à son introduction dans le pays, et les services à valeur ajoutée qui l'accompagnent ne diffèrent guère de ceux offerts en Occident. Au sens strict, le téléphone mobile n'a pas, dans ce cas, de fonctionnalités typiquement africaines ou ivoiriennes. Mais le dispositif public qu'en font les exploitants de « cabines mobiles » en Côte d'Ivoire et ailleurs en Afrique tranche définitivement avec les formes d'usage privé et même très personnel qu'on observe en Occident. L'usage constitue donc une perspective intéressante pour saisir la « cabine mobile » comme pratique. Pour cause, l'usager est animé par des fins pratiques, c'est-à-dire des solutions commodes aux problèmes actuels. L'usager en action, est-il besoin de le souligner, est guidé moins par le projet « contenu en creux dans la technologie » (l'expression est de Patrice Flichy) que par la satisfaction des besoins présents, immédiats. Il sait qu'il doit vivre et, par conséquent, demeure toujours en avance sur le discours qui a pour but de le cerner. Le critère qui préside à son action, c'est l'efficacité, c'est-à-dire la capacité de celle-ci à améliorer sa condition. Serge Latouche formule bien cette réalité dans le contexte des quartiers populaires en Afrique :

> Ici, on est ingénieux sans être ingénieur, entreprenant sans être entrepreneur, industrieux sans être industriel. Irréductible dans ses logiques, ses comportements et ses formes d'organisation au capitalisme traditionnel et à la société technicienne, la *nébuleuse* informelle fait preuve d'une efficacité remarquable pour [...] relever le défi de l'exclusion (2000, p. 176-177).

Comment expliquer l'émergence de cette dimension authentique en Afrique ? Elle ne tient ni de la culture, ni d'une forme propre d'organisation socioéconomique. Les exemples évoqués dans ce texte indiquent tout le poids des circonstances conjoncturelles sur le grossissement du marché des «cabines mobiles». Autrement dit, le développement de cette «industrie» n'est pas le résultat d'une décision de principe au départ, mais il s'est établi progressivement, par le fait de l'imitation et à la faveur de la désorganisation sociale. Et cela, bien que, phénomène généralisé, la «cabine mobile» obéisse aux exigences individuelles, puisque les motivations et les appréciations de ses acteurs sont diverses. Étape positive dans l'accomplissement personnel pour certains, l'exploitation d'une cabine constitue pour d'autres le signe d'une déchéance personnelle et d'une honte qu'ils acceptent avec résignation.

En partant des «cabines mobiles» comme forme d'usage, on peut certes apprécier une appropriation atypique. Toutefois, on découvre en accédant aux significations des acteurs que cette forme d'appropriation résulte des lacunes des structures socioéconomiques. Bien que les cabines soient génératrices de revenus, leurs exploitants ne les ont jamais envisagées comme profession. Ils sont parvenus à cette activité par la force des choses: celui-ci parce qu'il a perdu son emploi, celui-là parce qu'il est déplacé de guerre, tel autre encore parce qu'il lui manque les moyens nécessaires pour se payer le stage qui complétera sa formation, etc. En clair donc, on ne se lève pas le matin en projetant «faire cabine» (l'expression est ivoirienne). Même ceux qui y prennent un certain plaisir n'y ont abouti que pressés par le besoin. Ainsi, la «cabine» met en lumière les difficultés d'emploi qui frappent le peuple ivoirien. Elle révèle des faiblesses dans le système de régulation des télécommunications du pays, lequel apparaît bien inapte à mettre à exécution les pénalités prévues par la loi contre les contrevenants. Assurément, elle révèle les failles dans la structure du politique, c'est-à-dire dans la gestion même du pays. À partir de là, la question qui se pose est celle de savoir comment expliquer ces failles.

Pour nombre d'auteurs, elles pourraient bien être mises sur le compte des décennies de développement. Jean-Christophe Rufin note: «Le fait est étrange mais il faut l'admettre: le dénuement du tiers-monde est neuf, récent, construit au prix de patients efforts. La misère actuelle est le produit de trente ans de développement» (2001, p. 70). La Côte d'Ivoire est en effet un cas d'école. Jarret et Mahieu relèvent, pour les années 1980, uniquement deux générations des programmes d'ajustement structurel (PAS) du FMI. Celle qui entre en vigueur dès 1981, vise essentiellement deux objectifs: l'augmentation des recettes de l'État par la fiscalité et la réduction de ses dépenses, avec pour enjeu sa solvabilité. Il s'agit alors de rendre l'État apte à rembourser sa dette extérieure. Ces mesures vont entraîner la disparition de nombreuses entreprises étatiques et auront pour répercussions la baisse de l'activité économique et le chômage. Au regard de ces pertes d'emplois, si les cadres et les managers ont été pour la plupart reclassés soit dans la fonction publique, soit dans l'arène politique, il en a été autrement pour les travailleurs salariés: «Les employés et les ouvriers ont été invités à retourner à la terre avec souvent des primes de réinsertion qu'ils n'ont jamais touchées» (Jarret et Mahieu, 2002, p. 24). L'analyse faite par Jarret et Mahieu révèle aussi que, devant le nombre croissant de chômeurs scolarisés, des familles refuseront d'envoyer leurs enfants à l'école ou préféreront interrompre leurs études «pour les réorienter très tôt dans l'apprentissage des métiers que l'on trouve dans le secteur informel»; quant aux industriels, beaucoup «déclareront la faillite de leurs affaires pour disparaître du formel et réapparaître dans l'informel»; (2002, p. 26). Les politiques de réduction budgétaire de l'État, constitutives même du projet développementiste, affecteront de manière significative des secteurs clés de la vie sociale, notamment l'éducation, la santé, le logement.

Aujourd'hui, on peut constater que le développement, en son principe, c'est-à-dire comme volonté d'aplanir les inégalités, ne résiste pas à l'assaut de la mondialisation. Dans son rapport de 2005 sur le développement humain, le Programme des Nations Unies pour le développement s'en prend ouvertement aux règles du commerce mondial. L'organisme avance dans ses conclusions que la mondialisation profite aux pays riches et appauvrit davantage les pays pauvres, que les subventions agricoles dans les pays industrialisés faussent les règles du jeu sur le marché international au détriment des pays pauvres, que les vœux pieux de l'aide au développement sont demeurés lettres mortes. Autrement dit, l'organisme onusien déplore que le jeu du commerce mondial l'emporte sur le souci des inégalités entre États. Notons que les années 1990 et 2000 se sont montrées fertiles en mises en garde contre les dangers du marché planétaire, contre l'économie triomphante, ce que Viviane Forester appelle «une étrange dictature». Reste que, au regard de l'histoire, on peut bien se demander si la mondialisation fera pire que le développement.

BIBLIOGRAPHIE

AMIN, Samir (1984). *La faillite du développement en Afrique et dans le Tiers-Monde: une analyse politique*, Paris, L'Harmattan, 1984.

CERTEAU (de), Michel (1990). *L'invention du quotidien 1. Arts de faire*, Paris, Gallimard.

CHENEAU-LOQUAY, Annie (dir.) (2000). *Enjeux des technologies de la communication en Afrique*, Paris, Karthala.

CHOSSUDOVSKY, Michel (1998). *La mondialisation de la pauvreté*, Montréal, Écosociété.

COMELIAU, Christian (dir.) (1994). *Ingérence économique La mécanique de la soumission*, Paris, Presses universitaires de France.

CROZIER, Michel (1979). *On ne change pas une société par décret*, Paris, Grasset.

DAVID, Philippe (2000). *La Côte d'Ivoire*, Paris, Karthala, 2000

FLICHY, Patrice (1995). *L'innovation technique*, Paris, La Découverte.

FORRESTER, Viviane (1996). *L'horreur économique*, Paris, Fayard.

FORRESTER, Viviane (2000). *Une étrange dictature*, Paris, Fayard.

GÉLINAS, Jacques B. (2000). *La globalisation du monde. Laisser faire ou faire*, Montréal, Écosociété.

JACQUARD, Albert (1993). *J'accuse l'économie triomphante*, Paris, Calmann-Lévy.

JARRET, Marie-France, et Régis-François MAHIEU (2002). *La Côte d'Ivoire. De la déstabilisation à la refondation*, Paris, L'Harmattan.

JOUET, Josiane (1993). « Usages et pratiques des nouveaux outils de communication », dans Lucien SFEZ (dir.), *Dictionnaire critique de la communication*, Paris, Presses universitaires de France.

KAMGA, Osée (2005). *De l'utopie du développement à l'analyse des pratiques communicationnelles: les usages de la téléphonie mobile en Côte d'Ivoire dans une perspective de praxis africaine*, Montréal, Université du Québec à Montréal (UQAM).

LACROIX, Jean-Guy et Gaëtan TREMBLAY (2003). *2001 bogues: globalisme et pluralisme. Tome 2 – Usages des TIC*, Québec, Presses de l'Université Laval.

LATOUCHE, Serge (2000). *La planète uniforme*, Paris, Climats.

LATOUCHE, Serge (1998). *Les dangers du marché planétaire*, Paris, Presses de Sciences Po.

MARTIN, Hervé-René (1999). *La mondialisation racontée à ceux qui la subissent*, Castelnau-le-Lez, Climats.

MENDE, Tibor (1972). *De l'aide à la recolonisation: les leçons d'un échec*, Paris, Seuil.

PRÉVOST, Jean-Guy (1990). *Individualisme méthodologique et néo-libéralisme chez Friedrich Hayek, Muray Rothbard et James Buchanan*, Montréal, Université du Québec à Montréal.

RIST, Gilbert (1996). *Le développement: histoire d'une croyance occidentale*, Paris, Presses de Sciences Po.

RUFIN, Jean-Christophe (2001). *L'empire et les nouveaux barbares*, Paris, J.C. Lattès.

TOURÉ, Abdou (1985). *Les petits métiers à Abidjan, l'imaginaire au secours de la « conjoncture »*, Paris, Karthala.

TRAORÉ, Aminata (1999). *L'étau. L'Afrique dans un monde sans frontières*, Arles, Actes Sud.

TRAORÉ, Aminata (2002). *Le viol de l'imaginaire*, Paris, Actes Sud et Fayard.

VEDEL, Thierry et André VITALIS (1993). *Pour une socio-politique des usages*. Rapport à l'Association Descartes, février.

ZIEGLER, Jean (2003). *Les nouveaux maîtres du monde et ceux qui leur résistent*, Paris, Fayard.

PARTIE

IV

PERSPECTIVES D'AVENIR

CHAPITRE

9

DE LA NÉCESSITÉ DE PASSER PAR LA CULTURE DANS LE NOUVEAU DÉVELOPPEMENT

Jesús-Martín Barbero

9.1. DÉVELOPPEMENT ET GLOBALISATION: LES COMPLICITÉS

Dans la séquence des mots liés du titre de cette réflexion, le *développement* fait la médiation entre la communication et la globalisation, car c'est au sein de cette médiation que se trouvent quelques clés qui servent à comprendre les longues frustrations de nos pays et les nouvelles conditions auxquelles se voit soumise l'Amérique latine pendant son processus d'insertion dans la globalisation. Mais pour mieux comprendre la portée de cette médiation et les transformations des mentalités qu'elle entraîne, nous devons commencer par nous rappeler les relations secrètes et perverses qui entrecroisent le vieux projet de développement et le modèle actuel de la globalisation.

Pendant les années 1950-1960, prend forme une conception du *développement* qui marque tout un contexte cognitif et un horizon social à partir duquel on pensait et on faisait la politique. Celle-ci servait à réinterpréter le passé et dessiner l'avenir. «Il semblait alors impossible de conceptualiser la réalité sociale en d'autres termes [...], puisque la réalité était tellement colonisée par le discours[1]»; celui-ci annulait la distance indispensable pour penser le développement non comme un processus de la réalité, mais comme un discours à partir duquel elle était perçue, Ainsi, le discours sur le développement se transforma pour devenir un discours sur le *sous-développement* des pays jadis appelés tiers-monde.

Par la suite, les dits pays seront placés sur le même pied sans le moindre égard à leurs différences, et toujours en fonction du développement; et la transformation de nos sociétés traditionnelles en sociétés modernes a entraîné la négation de nos pratiques et de nos différences culturelles les plus caractéristiques, qui furent taxées de superstitions. Le modèle développementaliste de la modernisation des années 1960 et 1970 n'a pas su ni pu percevoir, et encore moins apprécier, la diversité des cultures à la base de ces pays en quête de modernité.

Par ailleurs, le discours actuel de la globalisation ne fait que renforcer cette colonisation de la pensée et de l'action politique, discours défini aujourd'hui et hier comme le processus de modernisation/développement; on ne peut penser la société autrement que comme objet d'une action globalisante, qui imprègne autant nos catégories mentales que nos projets politiques. Prenant appui sur des dimensions techno-économiques, la globalisation met en marche un processus d'inter-

1. Arturo Escobar, *El final del salvaje. Naturaleza, cultura y política en la antropología contemporánea*, ICAN/CEREC, Bogotá, 1999, p. 35-36.

connexion au niveau mondial, qui relie tout ce qui compte comme instrumentalement valable – entreprises, institutions, individus –, tout en ignorant ce qui n'a pas de valeur marchande.

Or, ce qui est nouveau dans ce processus d'inclusion-exclusion à l'échelle planétaire, c'est la transformation de la culture en espace stratégique de compression des tensions qui déchirent et recomposent «l'être ensemble», ainsi qu'un lieu de croisement de toutes les crises, tant politiques, économiques, religieuses, ethniques que générationnelles. Dès lors, c'est à partir de la diversité culturelle, issue des histoires nationales et des territoires régionaux, des ethnies et des autres regroupements locaux, des expériences et des mémoires distinctes, que l'on négocie et interagit avec la globalisation, au lieu de lui résister, et qu'ainsi on finit par la transformer. Ce qui rend compte aujourd'hui des identités comme pouvoir de lutte est inséparable de la demande de reconnaissance et de sens ; ces deux concepts ne peuvent être formulés comme de simples termes économiques ou politiques, parce qu'ils font référence au noyau même de la culture en tant que *monde d'appartenance à* et *de partage avec*. Aussi, pour cette raison, comme l'a remarqué Castells avec justesse, l'identité se constitue de nos jours comme la force la plus capable d'introduire des contradictions dans l'hégémonie de la raison instrumentale.

Question cruciale : soit les constructions identitaires sont assumées comme des dimensions clés pour les modèles et les processus de développement des peuples, soit elles tendent à se mettre en retrait, en se plaçant comme antimodernes à outrance, ayant comme conséquence la résurgence des particularismes ethniques et raciaux. Ce qui constitue le véritable sens et la force du développement, c'est la capacité des sociétés à agir sur elles-mêmes et à modifier le cours des événements et des processus, tandis que la forme globalisée que revêt de nos jours la modernisation se heurte aux identités et les exacerbe, générant des tendances fondamentalistes devant lesquelles il est nécessaire de revenir à une nouvelle conscience de l'identité culturelle « ni statique, ni dogmatique, assumant sa transformation continue et son historicité comme partie de la construction d'une modernité substantive[2] ». Cela implique une nouvelle conception qui dépasse son identification à la rationalité purement instrumentale, revalorisant en même temps sa tendance à l'universalité comme contrepoids aux particularismes et aux

2. Fernando Calderon *et al.*, *Esa esquiva modernidad : desarrollo, ciudadania y cultura en América Latina y el Caribe*, Caracas, Nueva Sociedad, 1996, p. 31. « Son claves en esa línea los aportes de A. Touraine », *Critique de la modernité*, Fayard, Paris, 1992.

ghettos culturels. Cette nouvelle conception exige, à son tour, une autre idée du développement qui considère les différents modes et rythmes d'insertion des populations et de leurs cultures dans la modernité.

La délégitimation opérée par la globalisation sur les traditions et les coutumes à partir desquelles, jusqu'à tout récemment, nos sociétés élaboraient leurs «contextes de confiance[3]» bouleverse l'éthique et obscurcit l'habitat culturel. C'est là que prennent racine certaines de nos plus secrètes et dangereuses violences, puisque les gens peuvent assimiler assez facilement les instruments technologiques et les images de la modernisation, alors qu'ils ne peuvent recomposer que très lentement et douloureusement avec leur système de valeurs, leurs normes éthiques et leurs vertus civiques.

9.2. LE DISCOURS DE L'IDENTITÉ NATIONALE

L'identité nationale se trouve aujourd'hui doublement déplacée: d'un côté la globalisation diminue le poids des territoires et des événements fondateurs qui donnaient essence au national, de l'autre la revalorisation du local redéfinit l'idée même de nation. Observée à partir de la culture-monde, la culture nationale semble villageoise et chargée de fardeaux étatiques et paternalistes. Observée à partir de la diversité des cultures locales, la culture nationale mène à l'homogénéité centralisatrice et au repli[4]. Or, c'est autant l'idée que l'expérience sociale d'identité qui est importante, celle qui dépasse les cadres manichéens d'une anthropologie du traditionnel et de l'universel – sociologie autochtone *versus* sociologie moderne. L'identité ne peut plus alors continuer d'être perçue comme l'expression d'une seule culture homogène parfaitement distinguable et cohérente. Le monolinguisme et l'uniterritorialité, que la première modernisation nous a transmis de la colonisation, ont caché la densité multiculturelle qui composait chaque nation et l'arbitraire des démarcations par lesquelles on a tracé les frontières nationales. Aujourd'hui les identités nationales sont de plus en plus multilinguistiques et transterritoriales. Et elles sont constituées non seulement des différences entre les cultures développées séparément, mais aussi par les appropriations et combinaisons inégales que les divers groupes font des éléments des différentes sociétés et de la leur. À la revalorisation du local s'ajoute l'éclatement de l'histoire nationale (encore unifiée

3. José Joaquin Brunner, *Bienvenidos a la modernidad*, Santiago, Planeta, 1994, p. 37.
4. Roberto Schwarz, *Nacional por sustracción*, Rev. «Punto de vista», nº 28, Buenos Aires, 1987, p. 27.

il y a peu de temps) qui a été provoqué par la reconnaissance que les mouvements ethniques, raciaux, régionaux, sexuels font du droit à leur propre mémoire[5], à la construction de leurs narrations et de leurs images. Réclamation qui acquiert des traits encore plus complexes dans des pays, nombreux en Amérique latine, où l'État est encore en train de se faire nation, et où la nation ne compte pas sur une présence active de l'État dans la totalité de son territoire.

9.3. Y A-T-IL ENCORE DE LA PLACE SUR LE GLOBE POUR L'ESPACE CULTUREL LATINO-AMÉRICAIN ?

Étirée entre les discours de l'État et la logique du marché, la signification des messages qui propagent et parlent irrépressiblement du désir d'intégration latino-américaine s'obscurcit et se déchire; l'intégration des pays latino-américains passe aujourd'hui inévitablement par leur intégration dans une économie-monde, régie par la plus pure logique du marché. En faisant prévaloir les exigences de la compétitivité sur celles de la coopération, on fracture la solidarité régionale. Les mouvements d'intégration économique se traduisent ainsi: d'un côté, l'*insertion excluante*[6] des groupes sous-régionaux (ALENA, Mercosur) à l'intérieur des macro-groupes de l'Amérique du Nord et de l'Europe, de l'autre, l'ouverture économique qui accélère la concentration du revenu, la réduction de la part du social et la détérioration de l'espace public.

Par ailleurs, la révolution technologique impose des exigences de plus en plus claires d'intégration tout en faisant de l'espace national un cadre de plus en plus insuffisant pour en profiter ou s'en défendre[7], renforçant et densifiant en même temps l'inégalité de l'échange[8]. C'est au nom de cette intégration globalisée que les gouvernements de nos pays latino-américains justifient les énormes coûts sociaux entraînés par l'ouverture à cette modernisation techno-économique qui menace, une fois de plus, de supplanter parmi nous le projet politicoculturel de la modernité. Or, s'il y a un mouvement puissant d'intégration –

5. Pierre Nora, *Les lieux de mémoire*, vol. III, Paris, Gallimard, 1992, p. 1009.
6. Saxe Fernandez, «Poder y desigualdad en la economia internacional», *Nueva socidad*, n° 143, Caracas, 1996, p. 62 et s.; ver tambien: Octavio Ianni y otros, *Desafios da Globalizacao*, Vozes, Petrópolis, 1998.
7. Judit Shutz, «Ciencia, tecnología e integración latinoamericana: un paso más allá del lugar comun», *David y Goliath*, n° 56, Buenos Aires, 1990, p. 27.
8. Manuel Castells y Ramon Laserna, «La nueva dependencia: cambio tecnológico y reestructuración socioeconómica en América Latina», *David y Goliath*, n° 55, Buenos Aires, 1989, p. 43.

entendue comme un dépassement des barrières et une dissolution des frontières –, c'est celui qui passe par les industries culturelles des médias de masse et des technologies d'information. Toutefois, ce sont ces mêmes industries et technologies qui accélèrent le plus fortement l'intégration de nos peuples, la différence hétérogène de leurs cultures, dans l'indifférenciation du marché.

9.4. L'IMPORTANCE DES INDUSTRIES CULTURELLES

Les contradictions latino-américaines qui traversent et soutiennent leur intégration globalisée débouchent ainsi de façon décisive sur la question du poids que détiennent les industries audiovisuelles dans ce processus, puisque ces mêmes industries jouent un rôle sur le terrain stratégique des images que ces peuples se font d'eux-mêmes et de celles par lesquelles ils se font reconnaître par les autres. C'est là que se trouvent le cinéma et la télévision, nous montrant les chemins contradictoires marqués par la globalisation du point de vue communicationnel. Tandis que l'Europe défend l'*exception culturelle*, puisqu'elle cherche à défendre les droits des cultures – y compris celles des nations sans État, ces identités sous-représentées dans le processus d'intégration des États nationaux – en stimulant, pour cela, un renforcement public de leurs capacités de production audiovisuelle[9], l'intégration latino-américaine, au contraire, obéit presque seulement à l'intérêt privé, portant sa production audiovisuelle dans un mouvement croissant de neutralisation et d'effacement des signes d'identité régionales et locales[10].

Le cinéma se retrouve menacé par le retrait de l'appui de l'État[11] aux compagnies de production. Ainsi, la production annuelle des pays de la grande tradition cinématographique, comme le Mexique et le Brésil, est descendue de moitié. Le nombre de spectateurs, au Mexique par exemple, est passé de 123 à 61 millions; en Argentine, c'est une chute de 45 à 22 millions de spectateurs. Ce cinéma oscille à présent entre une proposition commerciale rentable (uniquement dans la mesure où cette proposition peut dépasser le cadre national) et

---

9. Philip Schlesinger, «La europeidad:un nuevo campo de batalla», *Estudios de culturas contemporáneas*, nos 16-17, Colima, México, p. 121-140; Dossier «FR3 région: du local au transfontier», *Dossiers de l'audiovisuel*, no 33, Paris, 1990; Giovanni Bechelloni, *Televisione come cultura*, Liguori, Napoli, 1995.

10. Jesús Martín-Barbero, «Comunicación e imaginarios de la integración», *Intermedios*, no 2, Mexico, 1992, p. 6-13.

11. Octavio Getino (comp.), *Cine latinoamericano, economia y nuevas tecnologias*, Legasa, Buenos Aires, 1989.

une proposition culturelle uniquement viable, dans la mesure où il est capable d'insérer les thèmes locaux dans la sensibilité et l'esthétique de la culture-monde. Cela a obligé le cinéma à s'inféoder à la vidéo en tant que technologie de distribution, de circulation et de consommation : en 1990, il y avait déjà en Amérique latine dix millions de caméras vidéos, 12 000 vidéo-clubs de location de cassettes et 340 millions de cassettes louées par année.

Cette tendance a visiblement commencé à changer au cours des dernières années[12]. Du côté de la production, la disparition du *cinéma national*, qui semblait inévitable – en raison de la destruction des institutions de l'État qui appuyaient ce cinéma et qui lui garantissaient sa survie – est freinée de façon claire ou implicite. En dépit d'une capacité économique moindre, ces industries audiovisuelles réapparaissent actuellement au Brésil, en Argentine ou en Colombie grâce à une facilité de négociation accrue avec l'industrie télévisuelle par l'entremise des conglomérats multimédias. Ce qui signifie, pour le cinéma, la récupération de la capacité d'expérimenter esthétiquement et d'exprimer culturellement la pluralité d'histoires et de mémoires qui constituent les nations latino-américaines autant que l'Amérique latine dans son ensemble. Par ailleurs, en ce qui concerne les formes de consommation, le cinéma connaît actuellement des changements importants. La fermeture accélérée des salles de cinéma – transformées en grande partie en temples évangéliques ! – a été suivie par l'apparition de complexes multisalles, qui réduisent de façon draconienne le nombre de sièges par salle, tout en multipliant l'offre de films. La composition des publics habituels du cinéma souffre aussi d'un changement notable : les générations plus jeunes – qui dévorent en même temps des vidéoclips à la télévision – semblent vouloir aller à la rencontre du cinéma dans son lieu d'origine : les salles publiques. Cela nous place devant une profonde diversification des publics du cinéma[13], qui rend à nouveau possible un cinéma capable d'interpeller culturellement, c'est-à-dire de mettre en communication les cultures et leurs peuples. Tant dans la production que dans la consommation, ces nouveaux développements du cinéma demandent une présence des États et des organismes internationaux

12. Octavio Getino, *La tercera mirada : panorama del audiovisual latinoamericano*, Buenos Aires, Paidos, 1996 ; VV. AA., *Industria audiovisual*, nº 22 de Comunicacao e Sociedade, Sao Paulo, 1994 ; El impacto del video en el espacio Latinoamericano, Lima, IPAL, 1990.

13. Nestor Garcia Canclini (coord.), *Los nuevos espectadores : Cine, Televisión y video en México*, México, Conaculta/Imcine, 1994.

capables de se concerter avec les entreprises et les groupes indépendants pour établir des politiques culturelles minimales de reconstruction de l'espace public et de défense des intérêts collectifs.

9.5. LA *TELENOVELA* COMME ÉLÉMENT CONSTITUTIF DE L'IDENTITÉ SUD-AMÉRICAINE

Quant à la télévision, elle contient, comme aucun autre média, les contradictions de la modernisation de la culture globale latino-américaine. La disproportion de l'espace social qu'occupe ce média est liée à l'absence d'espaces politiques d'expression et de négociation des conflits ainsi qu'au manque de représentation, dans le discours de la culture officielle, de la diversité des identités culturelles. Ce sont les événements politiques interminables, la faiblesse de nos sociétés civiles et une profonde schizophrénie culturelle des élites qui définissent quotidiennement la capacité démesurée de représentation acquise par la télévision. Du Mexique à la Patagonie argentine, la télévision interpelle aujourd'hui les gens, comme nul autre média ne peut le faire, mais le visage de nos pays qu'elle présente est contrefait et déformé par la trame des intérêts et des politiques qui soutiennent et modèlent ce média. La capacité d'interpellation de la télévision ne peut toutefois pas être confondue avec les cotes d'écoute. Non parce que la quantité de temps consacrée à la télévision n'est pas importante, mais parce que l'impact politique et culturel de ce média n'est pas mesurable dans le contact direct et immédiat; il peut être évalué seulement en termes de médiation sociale symbolisée par ses images. Et cette capacité de médiation vient moins du développement technologique du média ou de la modernisation de ses formats que de ce que les gens attendent de lui et de ce qu'ils leur demandent. Or, il est impossible de savoir quelle influence la télévision a sur les gens, si nous ignorons les demandes sociales et culturelles que les gens adressent à la télévision et qui se projettent dans les dispositifs et les modalités de reconnaissance socioculturelle offerts par celle-ci. C'est pour cela qu'en Amérique latine le genre médiatique qui présente les meilleures alliances entre les modèles culturels populaires et les formats industriels est sans doute la *telenovela*.

Jusqu'à la moitié des années 1970, les séries nord-américaines dominaient de manière écrasante la programmation de fiction des chaînes latino-américaines de télévision. Ce qui signifie que la moyenne des programmes importés des États-Unis – pour la plupart des comédies et des séries mélodramatiques ou policières – formait à peu près 40%

de la programmation[14]; parallèlement, ces programmes occupaient les horaires les plus rentables, tant les plages nocturnes dans la semaine que les espaces de diffusion de jour pendant les fins de semaine. À la fin des années 1970, la situation a commencé à changer et, au cours des années 1980, la production nationale augmentera et parviendra à ravir aux séries nord-américaines les horaires «nobles» (le *prime time*). Par un processus très rapide, la *telenovela* nationale, dans plusieurs pays comme le Mexique, le Brésil, le Venezuela, la Colombie, l'Argentine, ainsi que la *telenovela* brésilienne, mexicaine ou vénézuelienne, pour les autres pays, ont fini par remplacer complètement la production nord-américaine[15]. À partir de ce moment et jusqu'au début des années 1990, non seulement au Brésil, au Mexique et au Venezuela, qui sont les principaux pays exportateurs, mais aussi en Argentine, en Colombie, au Chili et au Pérou, les *telenovelas* ont occupé une place essentielle dans la production télévisuelle[16]. Elles ont favorisé la consolidation de l'industrie télévisuelle par la modernisation de ses méthodes de production et de ses infrastructures, tant techniques que financières, ainsi que la spécialisation de ses ressources humaines: scénaristes, réalisateurs, caméramans, ingénieurs de son, scénographes, éditeurs. La production des *telenovelas* signifie également une certaine appropriation du genre par chaque pays, donc en quelque sorte sa nationalisation. Même si le genre *telenovela* implique la présence de stéréotypes rigides dans son canevas dramatique et de forts conditionnements dans sa grammaire visuelle – accentués par la logique standardisante du marché télévisuel, chaque pays aura fait aussi de la *telenovela* une place particulière de croisements entre la télévision et les autres champs culturels comme la littérature, le cinéma et le théâtre. La *telenovela* devient alors un terrain de redéfinitions politicoculturelles, conflictuelles mais fécondes. Alors que dans certains pays comme le Brésil on incorporait, dans la production de haut niveau, des acteurs de théâtre, des réalisateurs de cinéma, de prestigieux écrivains de gauche, dans d'autres la télévision en général et la *telenovela* en particulier étaient boudées par les artistes et les écrivains, car elles étaient considérées comme vulgaires par le

14. Tapio Varis, *International Inventary of Television Programs Structure and the Flow of the Programs between Nations*, University of Tempere, 1973.

15. Giselle Schneider-Madanes (dir.), *L'Amerique latine et ses télévisions. Du local au mondial*, Paris, Anthropos/Ina, 1995.

16. Diego Portales, *La dificultad de innovar. Un estudio sobre las empresas de televisión en América Latina*, Ilet, Santiago de Chile, 1988; Renato Ortiz y otros, *Telenovela: historia e produçao*, Brasiliense, Sao Paulo, 1985; Jorge Gonzalez, *Las vetas del encanto – Por los veneros de la producción mexicana de telenovelas*, México, Universidad de Colima, 1990; Mario Coccato, «Apuntes para una historia de la telenovela venezolana», **Videoforum**, n°s 1, 2 et 3, Caracas, 1985.

milieu professionnel. Peu à peu cependant, la crise du cinéma, d'une part, et le dépassement des extrémismes idéologiques, d'autre part, ont finalement contribué à intégrer à la télévision, surtout à travers la *telenovela*, beaucoup d'artistes, d'écrivains et d'acteurs qui traitèrent de thématiques et de styles en lien avec les dimensions importantes de la vie et des cultures nationales et locales.

Au moment de sa plus grande créativité, la *telenovela* latino-américaine a attesté les dynamiques internes d'une identité culturelle plurielle[17]. Et c'est justement cette hétérogénéité de narrations qui rendait visible la diversité culturelle du latino-américain, que la globalisation avait progressivement commencé à réduire. Le succès de la *telenovela*, qui a été le tremplin vers l'internationalisation, répondait à un mouvement d'activation et de reconnaissance du latino-américain dans les pays de la région, et a marqué aussi, paradoxalement, le début d'un mouvement d'uniformisation des formats et d'effacement des signes de cette identité plurielle. Mais jusqu'à quel point la globalisation des marchés signifie-t-elle la dissolution de toute véritable différence culturelle ou sa réduction à des recettes de folkloriques figées? Ce même marché réclame la mise sur pied de processus d'expérimentation et d'innovation qui permettent l'insertion, dans les langages, d'une technicité mondialisée par la diversité de narrations, des gestes et des imaginaires où s'exprime la richesse des peuples. Cela est mis en évidence dans certaines productions brésiliennes; on peut donner comme exemple le succès mondial de certaines *telenovelas* colombiennes, telles *Café, Con aroma de mujer, Betty la fea* et autres nouvelles séries latino-américaines.

9.6. LA NÉCESSITÉ DES POLITIQUES CULTURELLES

La relation entre les médias et la culture, surtout dans le champ audiovisuel, est devenue très complexe dans les années 1990. Ainsi qu'il a été démontré à la dernière réunion du GATT – maintenant Organisation mondiale du commerce –, le débat entre l'Union européenne et les États-Unis sur l'«exception culturelle», la production et la circulation des produits culturels exige un accord minimal sur les décisions politiques. En Amérique latine, ce minimum de politiques culturelles communes a été impossible à atteindre jusqu'à maintenant. Premièrement, à cause des exigences et des pressions du modèle néolibéral, qui

17. J. Martín-Barbero et S. Muñoz, *Televisión y melodrama*, Bogotá, Tercer Mundo, 1992; Nora Mazziotti, *La industria de la telenovela*, Buenos Aires, Paidos, 1996.

ont accéléré le processus de privatisation de l'ensemble des communications et démonté le peu de normes qu'exigeait, d'une certaine manière, l'expansion de la propriété. Ce que nous voyons maintenant, c'est la conformation et le renforcement de puissantes entreprises multimédias qui, selon leurs envies et leurs convenances, défendent le protectionnisme de la production culturelle nationale ou, dans d'autres cas, font l'apologie des flux transnationaux. Dans les deux grands accords d'intégration subrégionale – l'entrée du Mexique dans l'ALENA avec les États-Unis et le Canada et la création du Mercosur dont sont membres le Brésil, l'Argentine, l'Uruguay et le Paraguay –, la présence du thème culturel est jusqu'à présent nettement marginale, soit «objet seulement d'annexes ou accords parallèles[18]».

Les objectifs directement et immédiatement économiques – développement des marchés, accélération des flux du capital – bloquent la possibilité de proposer un minimum de politiques au sujet de la concentration financière et de l'approfondissement de la division sociale entre les info-riches et les info-pauvres. L'autre raison de fond, qui empêche d'introduire un minimum de politiques concernant les industries culturelles dans les accords d'intégration latino-américaine, est le divorce entre la prédominance d'une conception populiste de l'identité nationale et un pragmatisme radical des États, au moment de l'insertion dans les processus de globalisation économique et technologique. Intéressées surtout à la préservation du patrimoine et à la promotion des arts d'élite, les politiques culturelles des États ignorent complètement le rôle décisif des industries audiovisuelles dans la culture quotidienne de la majorité. Les politiques publiques, ancrées dans une conception fondamentalement «préservationniste» de l'identité et pratiquant la désarticulation à l'encontre de ce que font les entreprises et les groupes indépendants – ce «troisième secteur» de plus en plus dense –, sont, en grande mesure, responsables de la segmentation de la consommation et de l'appauvrissement de la production endogène; et ce, lorsque l'hétérogénéité des cultures ne peut plus être perçue comme un problème, mais comme la base du rétablissement de la démocratie, lorsque le libéralisme, en élargissant la dérégulation jusqu'au monde de la culture, exige des États un minimum de présence pour la préservation et la recréation des identités collectives.

---

18. Tulio Halperin Donghi, «Las industrias culturales en los acuerdos de integración regional», *Comunicación y sociedad*, n° 31, p. 12, Guadalajara, México; Gabriel Recondo (comp.), *Mercosur, La dimensión cultural de la integración*, Buenos Aires, Ciccus, 1997; Hugo Achugar/Francisco Bustamante, «Mercosur: intercambio cultural y perfiles de un imaginario», dans Nestor Garcia Canclini (coord.), *Culturasy globalizacion*, Caracas, Nueva Sociedad, 1996.

Mais, même si du côté de l'État l'intégration culturelle rencontre les obstacles que nous venons d'énumérer, il y existe d'autres dynamiques qui mobilisent le scénario audiovisuel latino-américain en direction de l'intégration. Pensons tout d'abord au développement de nouveaux acteurs et formes de communication, à partir desquels se récréent les identités culturelles. Je fais référence ici aux émetteurs régionaux, municipaux et communautaires de la radio et la télévision, de même qu'aux innombrables groupes de production de vidéo populaire qui constituent un foyer de créativité, permettant un mouvement local vers le haut, pour rejoindre les médias globaux. Cela constitue peut-être la tendance la plus claire des industries culturelles «de pointe» dans la région[19]. Sans être la plus avancée dans ce domaine, la Colombie, par exemple, compte déjà 546 émetteurs de radio communautaire, avec près de 400 expériences de télévision locale et communautaire. Ces émetteurs font tous partie de ces réseaux informels qui, de villages en quartiers – en s'interconnectant aux réseaux de câble et aux stations de satellite – mettent en communication, en les métissant, leurs propres configurations culturelles avec la diversité des cultures du monde qui, même mises hors contexte et schématisées, forment des réseaux globaux.

9.6.1. Le rôle de la musique et de la danse dans la construction de l'identité culturelle

Dans les grandes industries du rock, il existe aussi à présent des mouvements de communication et d'intégration culturelle non négligeables. Le mouvement *rock latino* réveille des créativités insoupçonnées de métissage et d'hybridation, formant des tissus esthétiques transnationaux avec des sons et des rythmes plus locaux; «tout à la fois affirmation d'un lieu et d'un territoire, ce rock est aussi une proposition esthétique et politique». Un des lieux où se construit l'unité symbolique de l'Amérique latine, c'est la salsa de Ruben Blades, les chansons de Mercedes Sosa et de la Nueva Trova Cubana, espaces d'où se regardent et se construisent les frontières de ce qui est latino-américain, affirme une jeune chercheuse colombienne[20]. L'existence de la chaîne latino MTV, où la musique et la créativité audiovisuelle de ce genre hybride, global

19. Rafael Roncagliolo, «La integración audiovisual en América Latina: Estados, empresas y productores independientes», dans Nestor Garcia Canclini (coord.), *Culturas en globalización*, Caracas, Nueva Sociedad, 1996, p. 53.
20. Amanda Rueda, *Representaciones de lo latinoamericano: memoria, territorio y transnacionalidad en el videoclip del rock latino*, Tesis, Univalle, Cal., 1998.

et jeune par excellence qu'est le vidéoclip, sont si présentes, prouve qu'il s'agit bien de modes de re-création du *latinoamericano,* comme un lieu d'appartenance culturelle et d'énonciation spécifique.

Les problèmes et les possibilités d'un espace audiovisuel latino-américain passent aujourd'hui par des politiques audiovisuelles capables de prendre en charge ce que les médias ont fait et feront avec la culture quotidienne des gens, comme d'engager le système éducatif dans la transformation des relations de l'école avec les nouveaux langages, les nouveaux savoirs et les nouvelles écritures audiovisuelles et informatiques. Cela implique que ces politiques ne se limitent pas à des déclarations d'intention, mais qu'elles comportent une reconnaissance sérieuse des problèmes et à un plan précis de possibilités d'action dans ce milieu. Nous n'avons pas besoin de politiques généralistes et de déclarations d'intention dirigées vers un public abstrait, mais de politiques diversifiées, destinées aux gouvernements et aux entrepreneurs du secteur audiovisuel, aux usagers et aux organisations sociales, aux professionnels du secteur et aux chercheurs, aux organismes internationaux et aux universités. Des politiques capables de répondre à des questions comme celles-ci, formulées déjà au début des années 1990, dans une réunion de consultation de l'Unesco à Ciudad de México :

> Voulons-nous ou non préserver et renforcer les ressources humaines, technologiques et culturelles de l'espace audiovisuel que nous sommes parvenus à générer depuis un siècle ? Désirons-nous soutenir et augmenter la capacité productive de nos propres images, ou bien accepterons-nous de nous convertir collectivement en de simples transmetteurs d'images étrangères ? Tentons-nous de nous voir dans ces miroirs socioculturels que constituent nos écrans, ou alors allons-nous renoncer à construire notre identité, notre possibilité d'être collectif[21] ?

21. Unesco, Encuentro regional sobre *Políticas audiovisuales en América Latina y el Caribe,* México.

CHAPITRE

10

À NOUVEAUX CONCEPTS, AUTRES MODES DE COMMUNICATION

Anne-Marie Laulan

En ce début de millénaire se succèdent des événements-annonces de dimension internationale: à Tunis a lieu le Sommet mondial sur la société de l'information, à Montréal se tient un forum consacré à la Terre, à Buenos Aires l'Unesco rassemble 2000 chercheurs et décideurs pour orienter les politiques sociales. Ces trois exemples illustrent la situation actuelle: accroissement de la pauvreté, dégradation de l'environnement, mise en cause des politiques publiques. Face à ces bilans accusateurs, les médias ne peuvent ignorer plus longtemps les problèmes, dissimuler les inquiétudes des citoyens, continuer à diffuser les messages prescriptifs émanant des autorités, du haut vers la base docile et peu informée. Incontestablement, la communication sur le développement est à la fois indispensable et peu compatible avec le système économique et institutionnel de l'univers médiatique contemporain. Puisque les concepts du développement sont repensés, les modes de communication pour les élaborer puis les rendre opérationnels sont eux aussi soumis au renouvellement.

10.1. LA RECHERCHE SCIENTIFIQUE EN QUESTION

Le renouvellement scientifique concernant le développement amène à reconfigurer le rapport des chercheurs du Nord et des suds. Dès 1995 se sont élevées au sein des instances scientifiques des protestations contre «l'arrogance de la science occidentale», triste résurgence d'un colonialisme intellectuel. Les différentes communautés culturelles revendiquent leur droit à la diversité des modes de connaissance, mais aussi à la légitimité des savoirs endogènes. Des actions juridiques sont même entreprises à propos des brevets pharmaceutiques établis au seul bénéfice de l'Occident à partir de plantes dont la production et les vertus relèvent du patrimoine culturel de telle ou telle région du monde.

Les chercheurs du Sud, longtemps formés dans les universités du Nord, à grand renfort de bourses (généreuses en apparence), se trouvent souvent dans une position inconfortable. Le risque n'est pas négligeable, pour trouver un emploi, qu'ils demeurent dans le pays où ils ont bénéficié de leur formation, ou encore qu'ils mettent leur compétence au service des ONG ou de grandes institutions, liées aux bailleurs de fonds internationaux. L'offre porte alors sur des commandes d'expertise ou sur des projets de recherche-action, avec instrumentalisation de leur savoir. La conquête de l'autonomie scientifique est bien l'objet d'une nouvelle «guerre d'indépendance». Il en va de même (mais ce n'est pas notre propos) s'agissant des moyens d'information, de l'accès aux données, de la libre circulation des messages électroniques. Le combat de Sean MacBride en faveur d'un flux équilibré de la communication (NOMIC,

1980) n'a pas encore connu son terme, pour des raisons économiques et idéologiques persistantes, alors que les progrès techniques facilitent comme jamais les possibilités d'accès, d'échanges, de débats[1].

Les chercheurs spécialistes du développement se trouvent eux-mêmes dans une position inconfortable. La mondialisation d'à peu près tous les domaines les oblige à recourir à des modèles complexes, à pratiquer la transdisciplinarité, au détriment souvent des critères de recherche reconnus dans leur discipline d'origine[2]. La communication sur le développement fait problème, par conséquent, au sein même des instances scientifiques, confrontées à une révision déchirante des modèles théoriques (centre-périphéries, premier, deuxième, troisième mondes, avec irruption du quart-monde sur tous les continents...). S'il faut bien récuser l'unilatéralisme de l'univers scientifique, constater l'hémorragie, fatale pour les pays d'origine, des plus brillants cerveaux condamnés à la diaspora, plus grave encore est la fracture sociale dont pâtissent les populations, les plus nombreuses démographiquement, les plus démunies tant pour leur expression que pour leur information; l'exemple de la Chine et de l'Inde, « pays émergents aux taux de croissance vertigineux », illustre parfaitement que les progrès de la connaissance scientifique entraînent bien la croissance, pour quelques-uns, mais pas au bénéfice d'un développement pour tous. Les équipements performants, la maîtrise de la production et de l'usage des outils informatiques exercent malheureusement un effet pervers de domination intellectuelle et d'hégémonie économique.

Le « développement », conçu et mis en pratique depuis près de cinquante ans apparaît désormais comme un dérisoire numéro d'illusionniste. La réflexion critique condamne les métaphores des pays « en voie de développement », « moins avancés », qui n'en finissent pas de « rattraper leur retard ». On entend des chercheurs africains refuser le développement[3]. L'expression contemporaine de « développement durable » qui lui est substituée présente l'avantage d'une vision globale, planétaire, concernant la lutte contre la pauvreté, le respect de l'environnement, l'amélioration de l'état de santé... Ces objectifs très généraux impliquent une véritable révolution copernicienne, en ce sens que chacun devient responsable, acteur et bénéficiaire des progrès envisagés, mais que les modalités mises en place pour la réalisation des objectifs s'inscrivent dans tel territoire, au sein de différentes communautés; on

1. Yvonne Mignot-Lefebvre.
2. Institut de recherche sur le développement (France), document préparatoire à un forum en 2006.
3. Misse Misse, colloque de Douala (Cameroun), 2005.

passe donc d'une information «prescrite» sur le développement à des actions concrètes, décidées après des débats internes; techniquement, il s'agit alors de «communication inclusive sur le développement».

10.2. LA COMMUNICATION INCLUSIVE

Les objectifs du développement concernent les valeurs universelles de bien-être, de bon état de santé, de respect de l'environnement. Ce sont des données concrètes que chacun peut observer et même mesurer à son échelle. La dimension économique du développement n'est pas niée, mais elle ne figure plus au premier plan des préoccupations. Chaque être humain, jeune ou vieux, prend conscience qu'il est le sujet et l'acteur du développement dans son ensemble, grâce aux collectivités auxquelles il appartient. L'accent est mis sur l'ensemble des réseaux de connaissances, l'existence (ou la création) de ces réseaux permettant de les échanger. Le processus de communication se trouve mobilisé dans son intégralité: il faut non seulement prescrire ou informer, mais aussi et surtout acquérir la maîtrise des outils, veiller au transfert, favoriser l'appropriation finale par les destinataires les plus humbles. À l'heure actuelle, tel n'est pas le cas en Chine ou en Inde, où la maîtrise informatique ne bénéficie qu'aux populations urbaines – situation préoccupante signalée dans les médias –, avec le risque de déboucher sur des crises internes.

En effet, nul hasard de calendrier, nul artifice de proclamation ne préside au changement profond sur le développement, devenu «durable». Selon nous, le changement terminologique se situe au carrefour de trois puissants courants contestataires, nés au milieu du XXe siècle: les revendications, par les minorités concernées, du droit à la protection de la diversité culturelle et linguistique; à peu près contemporaines, mais avec d'autres acteurs et sur d'autres terrains, les alertes à la protection du patrimoine biogénétique; enfin, la montée en puissance de la société civile, en analogie avec le rôle du tiers état lors de la Révolution française de 1789[4]. Pareille convergence s'explique bien par un contexte général de réorientation, sur fond de crise, auquel le changement de millénaire apporte spécifiquement un élément de mise en scène.

4. L'année 2005 a vu le vote par l'Unesco d'une convention sur la diversité culturelle, ainsi que d'une déclaration universelle sur la bioéthique et les droits de l'homme. En 2003, au Sommet mondial sur la société de l'information (SMSI), organisé par l'ONU, une déclaration de la société civile a exigé de «centrer sur les besoins humains». La place faite à la société civile est désormais officielle pour les prochaines rencontres au sujet de l'Internet. Voir le site <www.itu.int/dms_pubitu>.

L'ensemble des moyens de communication, interpersonnels, audiovisuels ou électroniques, est largement utilisé par les acteurs de ces mouvements de contestation. Citons pour mémoire l'usage des vidéocassettes militantes interdites en Espagne franquiste, des cassettes-sons au Brésil, sous la dictature (les paroles des chansons étant « entrelardées » de propos révolutionnaires) ; successivement, dans l'histoire des combats pour l'indépendance, la justice sociale, les droits de l'homme ou l'éducation pour tous, les radios locales, les circuits courts de vidéo internes ou de proximité, les tracts et affiches, autant d'outils pour combattre le contrôle étatique, franchir les frontières, contourner les barrières économiques[5]. De nos jours, le téléphone cellulaire, le courrier électronique,les blogues viennent compléter la panoplie des moyens de communication au service des mouvements sociaux. Il est intéressant de noter la « spontanéité » de ces usages détournés, par rapport aux injonctions industrielles, commerciales, réglementaires, tout comme leur présence sur tous les continents au sein de populations considérées pourtant comme sous-équipées et économiquement défavorisées. À titre d'exemple, rappelons que les troupes du commandant Marcos, au Chiapas (Mexique), ont fait connaître leurs revendications à l'ensemble de la planète grâce à Internet. N'est-il pas étonnant de constater l'absence de dispositifs lourds (équipement, apprentissage, maintenance) à l'appui de ces activités militantes, le plus souvent entreprises par des bénévoles ? Le sociologue Alain Touraine a consacré plusieurs ouvrages à cette analyse des mouvements sociaux, durant les dernières cinquante années, pour en souligner le paradoxe communicationnel : la pénurie de ressources, la désobéissance civile, la lutte pour un développement durable voient naître pour faire circuler l'information des formats plus légers, plus immatériels donc insaisissables, à l'opposé des structures lourdes et coûteuses de la communication de masse. La parenté de forme de la communication avec le phénomène de la rumeur mérite d'être souligné.

L'interrogation relative aux échecs durables de la communication sur le développement exige que soit tirée la leçon des erreurs. Pour une part non négligeable, nous avancerons l'hypothèse de l'inadéquation des structures lourdes auxquelles recourt traditionnellement le « pouvoir légitime » ; de façon sommaire, évoquons des messages institutionnels, solennels, prescriptifs, transmis dans un langage abstrait, assortis souvent d'un rappel à l'ordre des choses. Les publicitaires, soucieux d'efficacité, utilisent plus volontiers, des formes de langage variées, s'adressant à des publics distincts et segmentés, dans un registre plus émotionnel, voire irrationnel. Il serait logique d'adapter les modes de communication

5. A.-M. Laulan, *La résistance aux systèmes d'information*, Paris, Retz, 1985. Désormais consultable en ligne.

sur le développement aux changements conceptuels définis plus haut. Lors d'un récent forum international consacré au développement social[6], l'Unesco a infléchi ses procédures traditionnelles; au lieu d'un discours universel, elle a fait place aux spécificités régionales (au sens «unescien» de grands continents). Après définition des problèmes et des solutions envisagées à partir des investigations préalables sur les terrains concernés, la «demande» est formulée par confrontation entre les différents acteurs concernés, en multipartenariat.

10.3. DÉFI SOCIAL OU DÉFI TECHNIQUE

Le déficit, voire les échecs de la communication sur le développement durable, ne peut être nié. On observe assurément une prise de conscience par l'ensemble des populations des risques qu'elles courent, au point de parler de «grande peur de l'an deux mil», avec la grippe aviaire, le sida toujours présent, la maladie de la vache folle incomplètement éradiquée, la propagation dans l'océan Indien d'une maladie inflammatoire transmise par un moustique, tout cela, pendant que la planète continue de se réchauffer, les cyclones de se multiplier, la pauvreté de s'aggraver, la famine de sévir. L'information télévisuelle et journalistique couvre largement les «événements», mais que lit-on à l'heure actuelle sur la Nouvelle-Orléans? Le désastre s'inscrit dans un court laps de temps, les remèdes et les solutions ne semblent pas être de l'ordre de l'urgence pour les responsables politiques au niveau fédéral: d'où le silence de la communication officielle. Pourtant, le drame ne se déroule pas dans un continent sous-développé, mais sans aucun doute dans une région à majorité noire. C'est le moment de poser les termes du nouveau défi social . L'histoire moderne se caractérise, au XIXe siècle, par des luttes pour les droits civiques, au XXe siècle, par la conquête des droits sociaux. De nos jours, le combat porte sur la protection et la reconnaissance des droits culturels, ce qui englobe le droit à la connaissance, l'accès aux moyens d'information et de communication. Comment concilier alors la mondialisation économique et le maintien des identités culturelles? Comment coexister, dans une même ville, sur un même continent, avec des aires culturelles différentes? Le problème se pose avec acuité pour l'Europe, avec sa diversité linguistique, juridique, même si l'organisation économique et commerciale a balayé les principales oppositions structurelles[7].

6. Forum international des sciences sociales, Unesco et Gouvernement de l'Argentine, Buenos Aires (2006). Texte en ligne sur le site Unesco-MOST.
7. Alain Touraine, *Un nouveau paradigme pour comprendre le monde d'aujourd'hui*, Paris, Fayard, 2005.

Les moyens de communication sont un élément essentiel du dispositif mis en place pour répondre à ce défi de la société contemporaine. À la différence des périodes précédentes où l'information et les décisions sur les pays en développement relevaient des ministères des Affaires étrangères, de la coopération, ou alors des grandes institutions internationales du type Banque mondiale, PNUD, en somme, quand tout se passait ailleurs ou au-dessus de la sphère de la vie quotidienne, de nos jours l'ethnocentrisme n'est plus acceptable, ni même concevable. Les partis populistes ont bien troublé la quiétude consensuelle des partis classiques, attirant bruyamment l'attention sur le poids de l'immigration, l'importance des diasporas, les revendications communautaristes et religieuses, les troubles des « banlieues », bref, en faisant le constat d'une fracture sociale généralisée.

L'appel aux ressources offertes par les nouvelles technologies préconise, pour relever ce défi de société, un large éventail de mesures, allant des infrastructures à développer à la connectivité généralisée, tout en encourageant l'utilisation à la fois des médias traditionnels et des nouvelles technologies. Mais l'essentiel, selon nous, est la redéfinition de la communication comme fondement d'une société de l'information inclusive. Le cahier des charges, à la suite du Sommet mondial sur la société de l'information (2003, puis 2005), énumère la longue liste des besoins particuliers dont la réponse relève des cyberstratégies nationales, pour assurer une parfaite intégration.

Ainsi, à la différence des époques précédentes où l'information sur le développement se concevait et se diffusait de haut en bas, du Nord vers « le » Sud, selon un processus proche d'une forme moderne de domination coloniale, la prise de conscience par les dirigeants des pays émergents de la nécessité de prendre en main les problèmes de leurs pays débouche sur de nouvelles politiques de la communication sur le développement. Au Mali, par exemple, le ministère du Développement social et de la Solidarité structure sa campagne de collecte de fonds de la sorte : des modalités différentes, les unes traditionnelles, comme tontines et tombolas, d'autres plus innovantes comme un concours de « reportages » sur les meilleures pratiques de solidarité et l'organisation d'un séminaire sur « les fondements culturels de la solidarité ». On peut y voir la volonté de mobiliser et de réorienter des pratiques de la vie quotidienne avec une légère dose d'innovation, une touche d'expression libre. Autre exemple, venu de Colombie où la lutte contre la drogue revêt une acuité particulière ; la communication sur ce thème abandonne les formes habituelles de dénonciation du crime organisé pour une problématique sociale et culturelle. Les chercheurs accordent la plus grande attention au contexte historique, économique et politique des communautés paysannes qui cultivent et commercialisent de façon illicite : inventaire attentif des besoins, recherche des racines profondes de ces comportements illégaux, recherche de solutions économiques alternatives acceptables par les populations concernées. La campagne de communication qui en découlera est, à nouveau, de type inclusif, avec engagement très fort des personnes, incluant leur mise en scène comme acteurs du changement préconisé[8]. Une démarche analogue se pratique en Espagne (à Malaga), cette fois à propos des politiques de santé concernant les jeunes tentés par la drogue, le suicide, les sports de l'extrême : sur des fonds publics de la région, une équipe de chercheurs conduite par Miguel de Aguilera commence sa démarche par une écoute attentive des jeunes, de leur mal-être, avant de déboucher sur des aides psychologiques et le soutien d'une campagne médiatique pour sensibiliser l'entourage.

CONCLUSION

Le renouvellement des techniques de communication ne repose donc pas, principalement, sur l'apparition des technologies nouvelles (TIC). Il s'agit surtout du constat d'échec de l'approche traditionnelle, entachée d'un esprit dominateur et méprisant pour les « récepteurs passifs » des campagnes sur le développement. Ce mépris, cette arrogance se sont avérés insupportables, en particulier pour les nations anciennement colonisées ou encore pour les populations exclues économiquement (les intouchables en Inde, les communautés indigènes en de nombreux pays). De nos jours, devant la situation de crise qui est celle du développement, s'amorce une réponse médiatique complexe face au défi social. La circulation de l'information retrouve son sens premier de communication entre partenaires, en vue d'un objectif partagé. L'éventail enrichi de l'appareil médiatique est utilisé pour répondre à la complexité des problèmes, mais dans le respect des particularités historiques et culturelles. Ainsi l'universalité du domaine du développement peut-elle se décliner selon les particularismes, dans la réciprocité et non plus l'exclusion.

8. *Drogoss ilegales Y derechos humanos de campesinos y comunidades indigenas*, Paris, Unesco, 2005. Disponible en version électronique.

CHAPITRE

11

LA SOCIÉTÉ CIVILE GLOBALE COMME MÉCANISME D'AUTORÉGULATION DU POUVOIR AU SMSI

Jean-Paul Lafrance et Sahbi Ben Nablia
(avec le concours de Christian Agbobli)

La montée en puissance de la société civile est bien l'un des événements majeurs de notre époque. La gouvernance mondiale n'est plus du seul ressort des gouvernements. La participation et l'influence croissante des acteurs non étatiques renforcent la démocratie et redéfinissent le multilatéralisme. Les organisations de la société civile sont aussi des grands moteurs de certaines des initiatives les plus novatrices qui visent à lutter contre les menaces de portée mondiale qui se profilent à l'horizon[1].

1. La citation est de Fernando H, Cardoso, président des relations entre l'ONU et la société civile.

Au sein des organisations internationales, le passage au nouveau millénaire a été marqué par la mise en scène de la société civile, notamment durant les deux phases du Sommet mondial de la société sur l'information à Genève en 2003 et à Tunis en 2005. Cette visibilité est rendue possible grâce à la prolifération des technologies d'information et de communication (TIC) qui a permis aux différents acteurs sociaux des quatre coins de la planète de coordonner leurs actions. Non seulement les TIC (caméras numériques, téléphones mobiles, courriels, forums de discussion, blogues, etc.) ont-elles pleinement rempli une fonction de réseautage à l'échelle planétaire[2], mais elles ont également été très efficaces comme outils de regroupement et de concertation. Ils ont relié ensemble plusieurs réseaux d'ONG, de groupes de pression et d'organisations de toute allégeance jusque-là déconnectés. Ainsi, dans les années 1990, les zapatistes avaient réussi à capter l'attention de l'opinion publique internationale, par leur maîtrise des moyens modernes de communication. Plus tard, à Seattle, à Québec, à Gênes, les différents acteurs sociaux (souvent désignés par les médias comme activistes) ont réussi à se concerter et à faire entendre leur voix aux réunions de l'OMC, parfois d'une façon violente, mais toujours en dehors des lieux mêmes où les hommes politiques se réunissaient. Par la suite, l'existence des divers sommets sociaux mondiaux de Porto Alegre, de Mumbai, de Bamako a permis à la société civile de marquer sa différence dans les médias nationaux et internationaux. Bien que ce rôle ne procure pas encore à ses membres le droit de vote, pas plus qu'il ne leur confère le droit de négocier avec les autorités politiques, la zone d'influence de la société civile repose maintenant sur sa capacité à répercuter sur la place publique des problèmes existants[3].

2. À Seattle, Internet a fourni une nouvelle arène à la société civile pour délibérer. Chehade et Scatainburio-D'Annibale (2004) se sont penchées sur le phénomène Indymedia (voir le site Internet des médias indépendants), le porte-parole du cyberactivisme. Cette forme de contestation médiatique a marqué l'arrivée d'une nouvelle forme d'expression qui renverse le modèle vertical de communication et reconfigure par le fait même l'espace public. Le contrôle des médias par les corporations et les régimes politiques a donné toute la possibilité à l'Internet de devenir un média de mobilisation politique et un espace virtuel de démocratie: « *Freed from the tyranny of broadcasting, would rise to challenge the phony public sphere of television and the press. Since then, the Internet, as we shall see, has proved to be an effective political medium in terms of its power of mobilization and the openness of its information space.* »

3. Certains remettent en question l'utilité de ces formes de contestation. Après tout, Porto Alegre n'a pas accouché d'un programme politique, encore moins est-il devenu un nouveau pouvoir! C'est bien mal connaître ce que c'est que la société civile, réalité transactionnelle et non pouvoir de substitution d'une révolution de type marxiste (voir plus loin).

11.1. APERÇU HISTORIQUE

L'idée de la société civile n'est pas nouvelle, ni pratiquement, ni conceptuellement[4]. Une lecture historique nous permet de constater que le concept de la société civile a vu le jour durant le XIXe siècle avec la prolifération des clubs, des journaux, des associations et des sociétés savantes, comme l'a si bien décrit Habermas dans ce qui fut sa thèse de doctorat[5]. Le mouvement de franc-maçonnerie en est un exemple, puisqu'il fut, autour des années 1790, un réseau international qui comptait plus de 40000 membres, de Paris jusqu'en Russie, et qui prônait une culture philanthropique[6]. Lors de son voyage de 1831 en Amérique, Tocqueville remarqua, d'une part, la quasi-absence de l'État et, d'autre part, la capacité des individus à s'associer. « L'Amérique, écrit-il, est le pays du monde où l'on a tiré le plus de parti de l'association et où l'on a appliqué ce puissant moyen d'action à une plus grande diversité d'objets[7]. » Il ajoute que les habitants des États-Unis s'unissent pour le commerce, la religion ou la sécurité publique. « Les communes deviennent des municipalités presque indépendantes, des espèces de républiques démocratiques ; en Amérique, l'administration ne se mêle plus de rien, pour ainsi dire, les individus font tout[8]. » Par ailleurs, en Europe, à l'époque de l'expansion coloniale, la vie associative a été liée à l'évangélisation des masses et s'est vite transformée en un réseau transnational de sociétés missionnaires[9]. Au tournant du XXe siècle, l'État providence s'est défini comme le garant et l'architecte du progrès social. La société civile est devenue plutôt un lieu de conflit et de fragmentation, un espace de pression et de contestation de la communauté politique. C'est la globalisation économique qui permettra le développement d'institutions internationales basées sur le pluralisme et qui offrira à la société civile la possibilité d'interroger l'utilité de l'État national. Ainsi, nous constatons qu'historiquement la société civile est fondée sur la force de l'association.

4. Laurence Weerts, <http://www.ulb.ac.be/droit/cdi/fichiers/modeles_theoriques.pdf>.
5. Voir Jürgen Habermas, *L'espace public*, Paris, Payot, 1978.
6. John. A Hall et Frank Trentmann, *Civil Society: A Reader in History, Theory and Global Politics*, Londres, Palgrave, 2004, p. 6,
7. Marc Chevrier, <http://www.vigile.net/998-3/chevriercivile.html>.
8. *Ibid.*
9. *Ibid.*, p. 6.

11.2. LA SOCIÉTÉ CIVILE ET LES ALTERMONDIALISTES

Selon Moll et Shade[10], la participation de la société civile au Sommet mondial sur la société de l'information en 2003 était le résultat des événements de Seattle, de Québec et de Gênes. Lazzarato[11] pense que ce sont les événements de Seattle qui ont été le véritable événement déclencheur de l'action altermondialiste; rappelons que les grands rassemblements avaient été marqués par des confrontations musclées avec les États. Les revendications des acteurs sociaux oscillaient entre les contestations des politiques des institutions mondiales (OMC, FMI et le G8) et une rupture avec le modèle financier et commercial existant, à la recherche d'un modèle alternatif[12]. La société civile était alors conçue comme un **espace** à l'intérieur duquel se construisent les réseaux sociaux qui réquisitionnent la relation au pouvoir politique et non comme un lieu délibératif où se prennent des décisions. En 2005, à la sixième édition du Forum social mondial, plusieurs pensent que les revendications des altermondialistes se sont répétées et étiolées; le FSM s'est décentralisé en trois lieux et son impact a été moins fort dans les médias internationaux[13]. La récente déclaration du président d'honneur de l'association française Attac[14] et l'un des fondateurs du Forum social mondial de Porto Alegre, Bernard Cassen, est significative à cet effet; il propose aux altermondialistes la rupture: «Pour changer la société, il faut aussi occuper le pouvoir[15].» Sous peine d'épuisement, le mouvement ne peut aboutir qu'au renversement des autorités nationales en place et à la prise du pouvoir.

À l'opposé, durant les deux sommets de Genève et de Tunis, la société civile a participé aux délibérations. Sa présence était soulignée par des activités qui reflétaient son implication dans l'événement et s'articulait autour de plusieurs enjeux sociétaux; loin d'une confrontation directe, elle n'a pas cherché la rupture, mais plutôt l'établissement du dialogue. Elle a su imposer sa vision et dépasser la marginalisation de son rôle au sein de l'événement. Selon Marc Raboy et Normand Landry, «de manière générale, et malgré les embûches ren-

---

10. Marista Moll et Leslie R. Shade, «Vision Impossible? The World Summit on the Information Society», p. 51, dans *Seeking Convergence in Approach and Practice*, Canadian Centre for Policy Alternatives.
11. Maurizio Lazzarato, «Les révolutions du capitalisme», *Les empêcheurs de penser en rond*, Paris, 2004, p. 10.
12. Hilary Wainwright, [en ligne] <http://www.alternatives.ca/article2051.html>.
13. Le Forum social mondial de 2006 s'est déroulé simultanément à Caracas (Venezuela), Bamako (Mali) et Bouznika (Maroc).
14. ATTAC (Action pour une taxe Tobin d'aide aux citoyens).
15. Déclaration de Bernard Cassen, Devoir, en date du 9 mars 2006.

RECONNAISSANCE DE LA SOCIÉTÉ CIVILE PAR L'ONU

Ce n'est pas spontanément que l'ONU a reconnu les divers organismes, associations, ONG, groupes de pression au SMSI. Malgré la présence massive de ceux-ci à Genève, les discussions se sont déroulées presque exclusivement entre les pays, les organisations internationales (comme l'UIT) et les grandes entreprises de télécommunication présentes. Devant la véhémente protestation de multiples groupes de pression, l'ONU a consenti à donner une voix à la société civile, à condition qu'elle s'auto-organise. De nombreuses séances de travail ont eu lieu et le collectif a accouché d'un certain protocole qui donnait une place aux représentants d'ONG professionnelles et communautaires, au mouvement syndical, aux activistes des médias communautaires, aux groupes d'intérêt des médias traditionnels, aux parlementaires et aux représentants des gouvernements locaux, aux communautés scientifiques et universitaires, aux éducateurs, aux bibliothécaires, aux bénévoles, aux mouvements des personnes handicapées, aux activistes de groupes de jeunes, aux peuples autochtones, aux défenseurs du genre, aux groupes de réflexion (« think tanks ») et aux institutions philanthropiques, de même qu'aux défenseurs des droits de la personne et des droits à la communication.

Ensemble assez hétérogène, s'il en est un, où voisinent à la fois les autorités des gouvernements « inférieurs[1] », des activistes, des peuples autochtones et les médias.

1. Les gouvernements locaux et même régionaux ont été très présents et actifs à la 11e Conférence sur les changements climatiques de Montréal, car des villes (San Francisco, par exemple, ou Seattle) et même des États (la Californie) contestent, parfois ouvertement, leur gouvernement national.

contrées tant à l'intérieur qu'à l'extérieur du Sommet, la société civile a maintenu un haut niveau de présence, ainsi qu'une implication structurée et cohérente ayant conduit à la fois à sa crédibilisation et à la transposition de certaines de ses idées dans les textes officiels[16] ».

Indépendamment de la définition ou du modèle de société civile, l'organisation change; elle épouse la forme de l'événement et transforme sa stratégie d'intervention[17]. En 2005, lors de la deuxième

16. Dans un document intitulé « La communication au cœur de la gouvernance globale », [en ligne] <http://www.lrpc.umontreal.ca/smsirapport.pdf>.

17. Lors de la Conférence des Nations unies sur les changements climatiques (Montréal, 2005), l'ancien président américain Bill Clinton a été choisi, à sa

Selon Weerts[1], il existe **quatre modèles de la société civile**:

- Le premier modèle est le modèle ***libéral***. À l'intérieur de ce modèle qui se base sur la vision des penseurs classiques Locke, Smith et Tocqueville, la société civile agit stratégiquement en tant que groupe d'intérêt et d'influence afin d'exercer une forme de *lobbying*.
- Le deuxième modèle se dresse contre le premier: il s'agit du modèle ***organique-communautarien***, qui refuse l'individualisme du système libéral et confère à la société civile le rôle d'intermédiaire regroupant les intérêts individuels en intérêts collectifs, pour informer (au sens étymologique, *in-formare*) l'État. On en a vu des exemples aux États-Unis dans les premiers temps de la colonie.
- Selon le troisième modèle, qui est ***délibératif***, la société civile correspond au secteur non marchand et non institutionnel. Ce modèle a été largement décrit dans Habermas, selon des exemples pris dans les pays européens aux XVIIIe et XIXe siècles.
- Le quatrième est le modèle ***cognitif***, conçu comme un laboratoire basé sur le savoir ou l'information. Proposé par des chercheurs comme Manuel Castells ou Warren Mansell[2], il tend à construire un monde commun, contre la globalisation et la concentration des médias.

1. Laurence Weerts, rapport intitulé *Société civile et démocratisation des organisations internationales,* [En ligne], <http://www.ulb.ac.be/droit/cdi/fichiers/modeles_theoriques.pdf>.
2. Voir entre autres le document de l'Unesco, *Vers les sociétés du savoir,* ISBN 92-3-204000-X, 2005.

phase du SMSI, nous avons vu l'introduction des figures de notoriété comme «représentant» de la société civile. C'est le prix Nobel de la paix en 2004, l'avocate iranienne, Chirine Ebadi, qui en était le porte-parole à Tunis.

façon, comme figure de proue de la société civile. Les États-Unis menaçaient de retirer leur délégation, dans le but avoué de faire avorter la conférence. Invité subrepticement et d'une façon non explicite par la Ville de Montréal, Clinton renversa la situation par un discours bien senti sur la nécessité d'intervenir contre la pollution. Il joua de ce fait même un rôle d'intermédiaire entre la société civile et le pouvoir américain. Mais l'invitation faite à Clinton n'est-elle pas une forme d'institutionnalisation de la société civile? Nous ne le croyons pas. Il s'agit plutôt d'une stratégie d'intervention, puisque, sitôt son intervention terminée, l'ex-président est retourné à ses affaires…

11.3. HABERMAS ET L'ESPACE DÉLIBÉRATIF

La société civile, à travers l'histoire, a existé en dehors des structures du pouvoir et des cadres institutionnels, avons-nous dit, tout en ayant un rapport direct avec les différentes formes d'institutions. La dernière forme de société civile internationale qui a émergé des deux phases du Sommet nous renvoie au modèle habermassien. « Elle est constituée par un tissu associatif qui institutionnalise, dans le cadre d'espaces publics organisés, les discussions qui proposent de résoudre les problèmes d'intérêt général[18]. »

De la sphère privée à la sphère publique, la société civile se positionne face à l'État national et délibère sur une multiplicité d'arènes (internationales, nationales et municipales) ; ses actions s'articulent autour des thèmes centraux qui se différencient en fonction de la densité de la communication[19]. Au niveau local, la société civile veille à l'amélioration des conditions socioéconomiques de la collectivité. Sur le plan national, ses actions tournent autour des revendications qui reflètent sa propre vision sociale. Toutefois, ces revendications se transforment, sur le plan international, en des demandes de déclarations et de politiques qui concernent diverses sociétés. Force est de constater que nous avons passé de l'expression **communauté internationale** à la **société civile globale**. Ce changement s'explique par la diminution du rôle de l'État en tant que garant et médiateur du progrès social. Selon la pensée libérale, la société civile est une des caractéristiques de l'art libéral de gouverner. « La société, en effet, représente le principe au nom duquel le gouvernement libéral tend à s'autolimiter. Elle l'oblige à se demander sans cesse s'il ne gouverne pas trop et joue, à cet égard, un rôle critique par rapport à tout excès de gouvernement[20]. »

Comme suite logique, le concept de gouvernance s'est imposé, durant les années 1990, marqué par une culture anglo-saxonne de management. Selon Jacques Theys, la gouvernance est une sorte de « boîte à outils universelle » de l'action collective, capable de répondre à toutes les situations, même les plus complexes, sans aucune vision idéologique du « bon gouvernement ». De son côté, Michel Foucault refuse d'aborder le pouvoir en termes d'idéologie et déplace la question sur les pratiques étatiques. Sous cet angle, l'environnement en tant que

18. Jürgen Habermas, *Droit et démocratie. Entre faits et normes*, Paris, Gallimard, 1997, p. 394.
19. Laurence Weerts, rapport intitulé Société civile et démocratisation des organisations internationales, [En ligne], <http://www.ulb.ac.be/droit/cdi/fichiers/modeles_theoriques.pdf>.
20. Michel Foucault, *La naissance de la biopolitique*, Paris, Gallimard, 2004, p. 336.

politique de l'aménagement du territoire a joué et joue encore un rôle d'avant-garde dans la modernisation des formes de gouvernance, car il est porteur de valeurs favorables à la démocratie, à la décentralisation, à la transparence et à des formes d'action publique qui accordent une large place à la société civile[21]. En 1989, la Banque mondiale a proposé le concept de « bonne gouvernance », qui a façonné l'élaboration des politiques, l'intervention, les procédures et les modes de gestion, ainsi qu'en témoignent des programmes comme ceux de l'Agenda 21, du développement durable, comme le concept du pollueur payeur, etc.[22].

Selon Theys, la gouvernance est la boîte à outils de l'interaction non hiérachique

La gouvernance est un processus interactif : c'est une succession d'étapes à travers lesquelles de nombreux acteurs n'ayant pas le même intérêt et agissant à différentes échelles doivent faire face à un même problème; ces acteurs vont progressivement construire une représentation commune de la réalité, lui donner un sens, se fixer des objectifs, adopter des solutions et, enfin, mettre ces solutions en œuvre de façon collective, sans que rien soit déterminé à l'avance.

Toutefois, cette pratique de bonne gouvernance ne réussit pas à tous coups. Par exemple, au SMSI, l'action de la société civile, celle des États-nations et celle des grandes corporations n'ont pas réussi à résoudre la question épineuse de la gouvernance d'Internet. Il fut difficile de conserver dans ce débat un point de vue neutre, optimiste et managérial (celui de la gouvernance). Certains pays, comme la Chine et la Tunisie, ont commencé à vouloir contrôler Internet, au nom de la protection des populations en ce qui a trait à la pornographie, à la propagande haineuse ou tout simplement en vertu du principe de la souveraineté des États. Par ailleurs, certains voulaient qu'Internet continue d'être, comme avant, contrôlé par l'ICANN (Internet Corporation for Assigned Names and Numbers), un comité international de pairs, qui a le rôle assez technique d'assigner les noms de domaines, ou par l'IETF (Internet Engineering Task Force), qui veille à ce que les protocoles de communication entre tous les partenaires soient harmonisés, sous la gouverne de l'Internet Society (ISOC), laquelle supervise plusieurs autres groupes de concertation du réseau des réseaux. Mais, il faut le remarquer, l'ICANN, comme association sans but lucratif, relève en

21. *Ibid.*
22. *Ibid.*

dernier essor du département du commerce américain et dix des treize serveurs racine (DSN ou *master root servers* qui permettent aux millions d'ordinateurs de communiquer ensemble) se trouvent sur le territoire américain! Il faut se rappeler qu'Internet n'a pas été mis sur pied par un gouvernement, mais par une association de chercheurs. Faut-il confier la gérance d'Internet à des pays souverains (dont certains ont des lois difficilement compatibles avec la démocratie médiatique), ou à une organisation internationale comme l'ONU, l'UIT ou l'Unesco ou, encore, laisser la situation telle qu'elle est? Le problème devient clairement politique, avec la venue du nouveau protocole IPv6[23], quand Internet devra gérer des milliards de noms de domaines et des réseaux de milliards d'abonnés.

À Tunis, à la suite du refus des États-Unis d'abandonner le contrôle d'Internet, le SMSI a renvoyé le dossier de la gérance de la Toile à un comité spécial des Nations Unies[24]. Il s'agit d'un problème politique à l'intérieur duquel le pouvoir prend toute la place. S'agit-il d'un pouvoir politique ou d'un pouvoir économique?

11.4. FOUCAULT ET LA QUESTION DE LA GOUVERNEMENTALITÉ

La gouvernementalité est la manière dont le pouvoir politique gère, réglemente et régule les populations et les biens, c'est-à-dire un moyen pour l'État de se revivifier[25]. Rappelons que dans l'*Histoire de la folie* (1961) Foucault s'est intéressé aux nouveaux rapports entre l'institution

23. Pourquoi devrait-on passer de IPv4 à IPv6? En raison d'une pénurie d'adresses IP, surtout en Asie, mais également pour résoudre quelques-uns des problèmes révélés par l'utilisation à grande échelle d'IPv4. Parmi les nouveautés essentielles, on peut citer:
- l'augmentation de 232 à 2128 du nombre d'adresses disponibles;
- l'ajout de mécanismes de configuration et de renumérotation automatique;
- l'arrivée de IPsec, QoS et le multicast « de série »;
- la simplification des en-têtes de paquets, qui facilite notamment le routage;
- la possibilité de séparer les informations du type gestion des droits numériques au profit des distributeurs, ce qui devient essentiel avec l'arrivée de la haute définition et des données privées.

Voir Wikipédia à « IPv6 ».

24. Sous la gouverne du secrétaire général, Kofi Annan, le comité doit se réunir en 2006 à Athènes.

25. Christine Lorre, [En ligne], <www.vacarme.eu.org/article458.html>. Selon la formule classique de Foucault, la gouvernementalité est la conduite des conduites des hommes.

et les « malades mentaux ». Plus tard, en 1975, dans *Surveiller et punir*, Foucault définit la prison comme une « technologie de pouvoir », née au XVIIe siècle. Le philosophe ne s'intéressait pas tellement à l'étude des institutions, mais plutôt, aux différents rapports que le pouvoir entretient avec ses administrés. En 1978, il tenta de définir les techniques de gouvernement qu'il a appelées la gouvernementalité et qui sont un champ stratégique de relations de pouvoir, dans le sens le plus large du terme, c'est-à-dire pas simplement politique.

Pour Foucault, la gouvernementalité est conçue comme un ensemble de mécanismes autorégulateurs de l'action collective; elle est incitation aux valeurs cosmopolites à l'échelle de la planète; elle permet que s'exerce la démocratie participative, avec une certaine forme de réflexivité et de transparence.

> La société civile n'est pas l'espace où s'exerce l'autonomie par rapport à l'État, mais le corrélatif des techniques de gouvernement. La société civile fait partie de la technologie moderne de la gouvernementalité. La société n'est ni une réalité en soi, ni quelque chose qui n'existe pas, mais une réalité de transaction, de la même manière que la folie ou la sexualité[26].

Rappelons-nous que la société civile a comme objet l'autolimitation du gouvernement libéral. Sous cet angle, la société civile est une **réalité transactionnelle**; c'est un contrepouvoir, si l'on peut dire, qui n'est pas cependant appelé à remplacer le pouvoir. Son rapport avec le gouvernement libéral est réflexif. En d'autres termes, c'est comme technologie de pouvoir que se définira la société civile, comme **espace de discussion**, dont la finalité est d'encadrer l'action du gouvernement. Au SMSI, nous avons pu constater que la question de la gouvernance d'Internet était éminemment politique; la question posait en elle-même des **relations au pouvoir**; elle était une forme de gouvernementalité – plus qu'une idée de gouvernance qui ne suppose aucune vision politique ou éthique!

Somme toute, le pouvoir par différentes techniques récupère les préoccupations des acteurs sociaux; la société civile, pour sa part, transmet les aspirations des instances locales aux autorités supérieures, les volontés des minorités au pouvoir de la majorité. La réalité transactionnelle prend toute son ampleur dans l'espace public délibératif qui fusionne l'opinion publique avec la délibération[27].

---

26. Maurizio Lazzarato, [En ligne], <http://www.radicalempiricism.org/biotextes/textes/lazzarato.pdf>.
27. Laurence Weerts [En ligne], <http://www.ulb.ac.be/droit/cdi/fichiers/modeles_theoriques.pdf>.

CONCLUSION

La société civile, contrairement à la doxa, n'est pas un phénomène récent. Elle procède d'une volonté de laisser une marge de manœuvre aux dissidents pour infléchir le pouvoir de l'État ou des États. La société civile est liée à la dynamique entourant la relation complexe entre l'État, le marché et la société elle-même. Ses contours restent flous, mais elle est devenue une quatrième force au SMSI entre les États, les organisations internationales et les grandes sociétés.

Depuis dix ans, l'ampleur des manifestations sur la scène internationale a surpris les analystes du fait social et politique; la participation populaire est passée de 40000 manifestants, à Seattle en 1999, à 200000 à Gênes en Italie en 2001. À Tunis en 2005, il y avait 18000 participants. Il ne se passe pas trois mois sans qu'il y ait de conférences internationales: sur le sida, sur les changements climatiques, sur la gestion mondiale de l'eau, etc. Une telle situation soulève une série de questions sur la mobilisation au sein de la société civile de type mondial, mais aussi sur l'avènement d'une société de l'information, qui a Internet à la fois comme instrument principal de diffusion mondiale et comme technologie d'auto-organisation des réseaux.

BIBLIOGRAPHIE

GEORGE, Susan (2004). *Un autre monde est possible si...*, Paris, Fayard.

HABERMAS, Jürgen (1978). *L'espace public*, Paris, Payot.

HABERMAS, Jürgen (1997). *Droit et démocratie. Entre faits et normes*, Paris, Gallimard.

HALL, John A. et Frank TRENTMANN (2004). *Civil Society: A Reader in History, Theory and Global Politics*, Londres, Palgrave.

HAUBERT, Maxime et P.-F. REY (2000). *Les sociétés civiles face au marché: le changement social dans le monde postcolonial*, Paris, Éditions Karthala.

KEANE, John (1995). «Structural transformations of the public sphere», dans *The Communication Review*, vol. 1, n° 1.

LAZZARATO, Maurizio (2004). *Les révolutions du capitalisme*, Paris, Les empêcheurs de penser en rond.

MATOUK, Jean (2005). *Mondialisation-Altermondialisation*, Toulouse, Éditions Milan.

MOLL, Marita et Leslie R. SHADE (2004). «Vision Impossible? The World Summit on the Information Society», dans *Seeking Convergence in Approach and Practice*, Canadian Centre for Policy Alternatives.

PERLAS, Nicanor (2003). *La société civile: le 3e pouvoir. Changer la face de la mondialisation*, Barret-sur-Méouge, éditions Yves Michel.

SMITH, Adam (2005). *Recherche sur la nature et les causes de la richesse des nations*, Paris, Economica ; première publication en 1776.

SOMMIER, Isabelle (2001). *Les nouveaux mouvements contestataires à l'heure de la mondialisation*, Paris, Flammarion.

STEINER, Rudolf (1985). *The Renewal of the Social Organism*, Spring Valley, New York, Anthroposophic Press.

TERRANOVA, Tizianna (2004). *Network Culture*, Londres, Pluto Press.

CONCLUSION

MODÈLES DE COMMUNICATION ET POLITIQUES DE DÉVELOPPEMENT

Anne-Marie Laulan

Un constat s'impose: après plus de trente années de pression des grandes institutions internationales (ONU, Fonds monétaire international) et autant d'années de stagnation des pays les plus pauvres, même en changeant les indicateurs économiques (PNUD), certains pays africains vont jusqu'à proclamer leur refus du développement. S'interroger sur une pareille attitude, apparemment paradoxale, suggère l'idée que ces résultats catastrophiques, à l'échelle mondiale, tiendraient pour une part non négligeable à de gigantesques erreurs de communication sur ces politiques décidées par les instances mondiales, pourtant soucieuses du bien-être des nations.

Pour tenter d'explorer précisément cette piste peu banale, l'ouvrage retrace d'abord les grandes étapes des politiques de communication (réajustées à maintes reprises) tout en cernant, de façon comparative en différentes régions du monde, les diverses modalités de réactions à ces politiques. En effet, le contexte culturel (en particulier le poids du passé colonial) module singulièrement la réponse à l'injonction du développement. Le sens des dispositifs énoncés par des textes se trouve fortement interprété selon les contextes historiques, géographiques, ainsi que selon les dispositifs de médiation déployés. Au terme de la première partie, on comprend bien qu'il s'agit d'un processus complexe de communication, et non plus de la diffusion d'une information prescriptive, homogène en apparence. L'échec du développement, pour une bonne part, est donc lié aux erreurs des modèles de communication utilisés, du moins en ce qui concerne la forme du message. Mais le caractère endogène, brutal, massif d'un développement économique « imposé », avec pour seules valeurs le consumérisme et l'individualisme, suscite également des réactions de refus ou des réticences quant au fond du problème. L'incommunication est bien sociétale, globale, pour ne pas dire internationale. Certains sommets économiques mondiaux (en Suisse et aux États-Unis) ont d'ailleurs été assortis de violentes contre-manifestations, annonciatrices d'une prise de conscience par les populations de la nécessité d'être parties prenantes lors de ces grands débats.

Dans la suite de l'ouvrage, on s'efforce de repenser le développement en termes de communication globale avec des exemples pris sur différents terrains géographiques et thématiques. Quels résultats sont observables si l'on prend en compte les aspirations des sociétés concernées, si l'on valorise leur mode de fonctionnement économique quotidien: marchand, recherche d'information, d'innovation, utilisation des réseaux préexistants? S'interroger sur le développement durable, c'est aussi garder à l'esprit les dangers de détournement des outils, de dévoiement par rapport aux objectifs, des ententes illicites, des tentations maffieuses, de la corruption généralisée. Les études de cas présentées proviennent de différents continents: en particulier de l'Amérique latine, de l'Afrique, mais également de l'Inde longtemps réticente, mais dont on connaît l'actuelle explosion. Comment s'expliquer le déverrouillage du développement connu essentiellement dans les pays comme l'Inde et la Chine, à partir de leurs seules forces intérieures? Comment interpréter, après le tsunami, le refus de ces pays d'accepter l'aide financière et matérielle proposée par l'Occident?

L'une des hypothèses explicatives tient au poids de la domination coloniale, partout présente mais différemment traduite en Amérique latine, en Afrique ou en Inde. Certaines méfiances, certains ressentiments sont prêts à ressurgir du fond de la mémoire collective, même en présence de nouveaux outils de développement comme l'Internet, comme on peut le lire dans le texte de Santiago Castro. De même les actions «généreuses» de certaines ONG sont-elles entachées du soupçon d'intérêts économiques ou politiques soigneusement dissimulés; voir l'encadré de Sandra Rodriguez, l'article sur les politiques consacrées à l'environnement, ou encore les précautions prises par Armando Barriguete pour que, dans la formation médicale par l'intermédiaire d'Internet, des médecins mexicains ne sombrent pas dans une forme de néocolonialisme à la française.

La vigilance s'impose dans pratiquement tous les domaines du développement: rapport au pouvoir, conflits d'intérêts, divergence des valeurs, temporalités différentes; le principe de précaution s'applique aux pays du Nord comme à ceux du Sud, en dehors, cette fois, de toute mémoire coloniale. Une opposition forte se manifeste, au nom du principe de solidarité, pour que le concept de «propriété intellectuelle» ne soit pas élargi à tous les domaines (agriculture, médicaments, matière vivante). Au nom de la société civile, des propositions alternatives concrètes, en particulier avec les logiciels libres, facilitent l'accès de tous au savoir. La culture comme la connaissance ne sont pas des marchandises comme les autres; leur rôle en faveur d'un développement durable est désormais reconnu comme une condition nécessaire, sous réserve que l'Organisation mondiale du commerce n'entrave pas leur essor en tous pays.

La dernière partie de l'ouvrage s'achève sur des exemples innovants de développement, avec des variations régionales vraiment spécifiques .La montée en puissance de la société civile, lors du Sommet mondial sur la société de l'information (SMSI, novembre 2005), révèle la profondeur du changement en cours; les technologies les plus modernes facilitent le débat à l'échelle internationale, permettent une information et une vigilance de tous les instants. Avec d'autres formes de communication pour relayer, au sein de chaque culture, les processus de prise de décision, il est raisonnable d'espérer un développement durable, grâce à l'autonomie croissante des acteurs impliqués, informés, concernés.

Le développement durable repose sur le partage des savoirs et des cultures. À elles seules, les technologies les plus modernes ne dispenseront pas de rechercher l'équilibre entre les pressions de la mondialisation, la tentation du pouvoir et l'aspiration aux formes douces de l'échange humain. Autant de raisons de mettre en place des instances de régulation de l'Internet et, au-delà, de faire du partage des savoirs un bien public commun, un patrimoine de l'humanité.

POSTFACE

Amadou Top

Nous, représentants des peuples du monde, réunis à Genève du 10 au 12 décembre 2003 pour la première phase du Sommet mondial sur la société de l'information, proclamons notre volonté et notre détermination communes d'édifier une société de l'information à dimension humaine, inclusive et privilégiant le développement, une société de l'information dans laquelle chacun ait la possibilité de créer, d'obtenir, d'utiliser et de partager l'information et le savoir et dans laquelle les individus, les communautés et les peuples puissent ainsi mettre en œuvre toutes leurs potentialités en favorisant leur développement durable et en améliorant leur qualité de vie, conformément aux buts et aux principes de la Charte des Nations Unies ainsi qu'en respectant pleinement et en mettant en œuvre la Déclaration universelle des droits de l'homme[1].

1. Déclaration de principes adoptée à Genève à l'occasion de la première phase du Sommet mondial sur la société de l'information.

Notre monde entre dans une ère, qualifiée de nouvelle, qui porte en elle les bases d'une société dite de l'information, à laquelle la communauté internationale a consacré un sommet mondial, prouvant ainsi toute l'importance que revêt cette dynamique. À cette occasion, décideurs politiques, acteurs économiques, experts et militants de la société civile ont largement débattu de ses formes actuelles et futures avec notamment la préoccupation de la rendre la plus inclusive possible.

De nos jours, les moyens de communication se développent à une échelle et à un rythme inédits. Les réseaux, systèmes et moyens d'information qui fusionnent tous dans Internet, donnent un nouveau sens au concept de «bien public» et réactualisent l'affirmation de Marshall McLuhan pour qui «le message c'est le médium». Non seulement le savoir et les connaissances y trouvent un moyen extraordinaire de diffusion, mais les différentes facettes de notre vie quotidienne en sont affectées par tous les côtés à la fois, transformant la manière dont nous pensons, agissons, réagissons et socialisons nos relations.

La mondialisation, qui s'avance masquée, dévoile chaque jour de nouvelles figures de ces technologies mutantes qui n'impressionnent plus et semblent s'ajuster aux conditions si différenciées des hommes et des femmes du monde. Le téléphone cellulaire et toutes les technologies associées et dérivées sont une parfaite illustration de ce phénomène qui crée l'illusion d'un monde qui aurait tendance à s'uniformiser, alors qu'en réalité, derrière les palissades du «village planétaire», se profile la diversité des statuts, des positions, des applications, des usages et des possibilités, trop souvent masquée par les statistiques et les discours.

Les immenses progrès liés à l'incorporation toujours plus importante et plus sophistiquée d'intelligence dans les équipements et les infrastructures de communication permettent indubitablement à davantage de personnes de s'affranchir des contraintes de la complexité technologique et d'accéder dans de meilleures conditions aux outils d'information et de communication comme aux savoirs. Il n'en demeure pas moins que le monde est confronté à la question déterminante de l'appropriation de ces moyens et de la capacité autonome à les utiliser au service d'un développement dont la seule finalité valable devrait être l'épanouissement des hommes et des femmes qui peuplent cette terre.

Il est également indéniable qu'en comparaison de la situation d'extrême discrimination entre pays riches et pays pauvres ayant prévalu au cours du siècle dernier en matière d'accès aux technologies avancées et plus particulièrement aux moyens de communication, on note une nette amélioration et une relative «démocratisation» dans l'accès à ces médias de masse qui, pendant des décennies, ont fonctionné sur le mode de la marginalisation de la grande majorité de la population du monde.

Plus encore que la radio ou la télévision, Internet permet aujourd'hui d'exprimer des identités culturelles et sociales ainsi que des projets de développement dont les acteurs et les cibles se confondent. L'on n'est cependant pas encore à l'abri de l'interventionnisme inconsidéré de certaines sphères et institutions spécialisées dans le placage de recettes «universelles», applicables sans discernement et dont l'objectif n'est rien d'autre que de fondre tout le monde dans le moule de ce qui nous est présenté comme le seul et unique modèle de développement.

Cette conception, totalement infondée, était déjà à l'œuvre dans les années 1960 en tentant coûte que coûte de vouloir imposer l'idée que le progrès devait être mesuré à l'aune du modèle de développement prévalant dans les pays industrialisés. À cet effet, une démarche consistant à faire l'apologie de la technologie avait été mise en branle; à travers les campagnes d'Afrique, d'Asie et d'Amérique latine, on déroula les programmes dits *d'animation rurale*. Il s'agissait, avec force films publicitaires labellisés instruments de communication pour le développement et déployés sous la bannière de l'aide au développement, d'aider les pays «arriérés» à prendre conscience, par l'image, des bienfaits de la science et des techniques afin de les encourager à rattraper leur «retard» sur le monde développé.

Aujourd'hui plus qu'hier encore, chacun doit se convaincre qu'il n'est ni souhaitable ni possible, malgré la puissance des nouveaux médias, de définir à la place des gens ce qui convient à leurs besoins et à leur vision du monde. Le volontarisme est certes nécessaire pour élargir le périmètre de déploiement des infrastructures, accroître l'accès à l'éducation et renforcer les capacités locales de production de contenus autocentrés, mais en définitive c'est l'usage que les acteurs eux-mêmes décideront de faire, en toute connaissance de cause, de ces outils de type nouveau qui sera déterminant.

Dans ce contexte, il faut saluer l'exercice auquel ont bien voulu s'adonner les auteurs de cet ouvrage collectif, en s'interrogeant sur le rôle de la communication pour le développement. Remettre en question les usages et pratiques communicationnels développés aux plans local et global, dus aux politiques publiques ou aux initiatives autonomes, c'est mettre notamment un accent tout particulier sur l'utilisation des langues de communication locale et sur l'exploitation des savoir-faire locaux.

À n'en pas douter, il s'agit d'une contribution majeure à l'approfondissement des débats en cours sur la société de l'information dont on ne réaffirmera jamais assez la nécessité d'en avoir une conception plurielle.